AYUNO
CON ZUMOS
Y DESINTOXICACIÓN

STEVE MEYEROWITZ

AYUNO CON ZUMOS Y DESINTOXICACIÓN

Un día de ayuno a la semana
significa cincuenta días
de rejuvenecimiento al año

EDICIONES OBELISCO

Si este libro le ha interesado y desea que le mantengamos informado de nuestras publicaciones, escríbanos indicándonos qué temas son de su interés (Astrología, Autoayuda, Ciencias Ocultas, Artes Marciales, Naturismo, Espiritualidad, Tradición...) y gustosamente le complaceremos.

Puede consultar nuestro catálogo en www.edicionesobelisco.com.

Colección: Obelisco Salud
AYUNO CON ZUMOS Y DESINTOXICACIÓN
Steve Meyerowitz

Título original: *Juice Fasting and Detoxification*

1ª edición: abril de 2005

Ilustraciones: *Michael Jon Parman*
Diseño de cubierta: *Enrique Iborra*
Traducción: *Ana Pérez Galván*

© 1984, 1987, 1990, 1992, 1995, 1996, 1999, 2002 by Steve Meyerowitz
Original publicado en inglés por Book Publishing Co. USA
Edición española por acuerdo con Bookbank Literary Agency, Madrid.
(Reservados todos los derechos)
© 2005, Ediciones Obelisco, S.L.
(Reservados todos los derechos para la presente edición)

Edita: Ediciones Obelisco, S.L.
Pere IV, 78 (Edif. Pedro IV) 3ª planta 5ª puerta
08005 Barcelona-España
Tel. 93 309 85 25 - Fax 93 309 85 23
E-mail: obelisco@edicionesobelisco.com

ISBN: 84-9777-167-2
Depósito Legal: B-7.402-2005

Printed in Spain

Impreso en España en los talleres gráficos de Romanyà/Valls, S.A.
de Capellades (Barcelona).

¡Un brindis por tu salud!

¿Quién es Sproutman?

Steve Meyerowitz inició en 1975 su viaje hacia una salud mejor, atajando su crónica y grave trayectoria vital de alergias y asma. Tras alimentarse durante dos meses a base de una dieta vegetariana y de alimentos vivos, le desaparecieron los síntomas. Después de casi veinte años de continuas decepciones en su relación con la medicina convencional, Steve recuperó su salud gracias a su propio programa de purificación, cambio de estilo de vida, ejercicio, ayuno y dieta de zumos y alimentos vivos.

A lo largo de los años, Steve ha probado y seguido muchos de los estilos de vida o dietas llamadas «extremas», como las de alimentos crudos, frutas, brotes, el vegetarianismo sin lácteos ni harinas y el ayuno. En 1977, la revista *Vegetarian Times Magazine* le nombró *Sproutman* en un artículo que publicó sobre él en el que se analizaban sus innovadoras recetas e ideas sobre la alimentación a base de brotes.

Tras diez años como artista cómico y músico, dio un giro total a su estilo de vida en aras de su salud propia. En 1980 abrió *The Sprout House*, una «escuela de no-cocina», en la ciudad de Nueva York. Allí comenzó un programa académico de enseñanza de horticultura y de elaboración de comidas vegetarianas y de brotes para *gourmets*. Steve ha inventado dos aparatos para el cultivo casero de brotes (el *Flax Sprout Bag* y el *Sprout House Tabletop Greenhouse*) y ha fundado la *Sprout House*, una compañía que fabrica licuadoras, *kits* de cultivo y una línea completa de semillas orgánicas de brotes.

Steve ha aparecido en cadenas de teletienda y de cocina y en los magazines televisivos *Prevention*, *Organic Gardening* y *Flower & Garden*. Durante su aparición de tres minutos en la *QVC*, 953 personas pidieron su recetario y su *Tabletop Greenhouse*.

Steve y su familia, con tres pequeños brotes incluidos, viven y respiran hoy en día el aire fresco de las montañas de Berkshire.

Introducción

> *Os lo digo sinceramente... Satanás entró en vuestros cuerpos, que son la morada de Dios. Y tomó para sí todo lo que quiso robar: vuestro aliento, vuestra sangre, vuestros huesos, vuestra carne, vuestras entrañas, vuestros ojos y vuestros oídos. Pero con vuestro ayuno y vuestra oración habéis traído de vuelta al Señor de vuestro cuerpo y a sus ángeles.*
>
> *Evangelio de los Esenios*

Hoy en día, nuestro mundo está inundado de comida. Gracias al comercio internacional, podemos encontrar en nuestros platos alimentos de todas las nacionalidades, procedentes de todos los rincones del mundo. Aparecen continuamente nuevos inventos, tales como comidas reconstituidas para gourmets presentadas en envases futuristas, bebidas en botellas de metal flexible, pepinos con genes acoplados y tomates irradiados sin fecha de caducidad, por mencionar sólo unos pocos. Concebimos la comida como una fuente de disfrute, como algo que facilita nuestra vida social y forma parte de nuestro ocio, y se nos ha olvidado la importancia de *no* comer. Nuestro estilo de vida acelerado, así como el comercio y la publicidad moderna, nos han difuminado la relación que guarda la comida con nuestra salud. Además, a pesar de toda la tecnología y los métodos modernos, estamos plagados de una larga lista de enfermedades contemporáneas, muchas de ellas mortales, que la medicina actual no puede curar. El cáncer de pulmón, el cáncer de colon, las enfermedades cardíacas, la arteriosclerosis, la hipertensión y demás enfermedades no eran frecuentes hace sesenta años, y están directamente relacionadas con nuestra dieta y nuestro estilo de vida.

El ayuno es un antiguo remedio que todavía funciona, incluso para las dolencias modernas que son fruto de nuestros excesos de la época actual. Resulta irónico que algo tan antiguo sea eficaz contra problemas tan recientes, y es una pena que no se le preste atención, porque el ayuno es, de hecho, nuestra medicina más antigua. Ya aparece mencionado a lo largo de todo el libro del Éxodo. Moisés, Elías y Jesús ayunaron hasta cuarenta días. Y, en el Evangelio de los Esenios (una traducción directa del texto arameo conservado en la Biblioteca de El Vaticano), Jesús se refiere directamente a la dieta y el ayuno. Hasta hoy, los judíos ayunan para expiar sus pecados. Los cristianos ayunan durante la Cuaresma; los musulmanes, durante el Ramadán, y los hindúes lo hacen rutinariamente. Platón e Hipócrates también propugnaban el ayuno, y los egipcios lo utilizaban como remedio para la sífilis. En los tiempos modernos, la práctica del ayuno terapéutico fue relanzada en 1822 por un médico naturópata, el doctor Isaac Jennings.

¿Qué es el ayuno? ~~~~~~~~~~~~~~~~~~~~~

El ayuno (qué es, cómo funciona y cómo hacerlo) es el tema principal de este libro. El ayuno consiste sencillamente en tomarse un descanso de la comida. Resulta increíble que una técnica tan sencilla pueda llegar a ser efectiva contra algunas enfermedades tan complejas. ¡Pero así es! La razón: nuestros cuerpos son, por naturaleza, curanderos. La naturaleza es compleja y extraordinariamente simple a la vez; funciona de diminutas y misteriosas maneras que ni siquiera la ciencia moderna logra comprender. Sin obstáculos en su camino, nuestros cuerpos buscan automáticamente la salud por medio de un proceso de eliminación de toxinas y regulación química. En nosotros hay una fuerza vital curativa, y cuando no agotamos esa fuerza por medio de la actividad física, ni la consumimos en la digestión, ni la debilitamos por el estrés, está disponible para curar. En lo esencial, el ayuno promueve la autocuración por medio de la eliminación de toxinas. No es tanto una cura cuanto una oportunidad de rejuvenecimiento, siempre y cuando los órganos esenciales no hayan sido irreversiblemente dañados por alguna enfermedad o por algún tratamiento médico.

El principio básico del ayuno es sencillo: recuperar la salud limpiando el cuerpo. Nuestros organismos tienen una limitada capacidad para almacenar y/o eliminar sustancias extrañas o no digestibles que hemos ingerido a través de nuestra alimentación. Estas sustancias, si permanecen en circulación en nuestro organismo, antagonistas de las células y de los órganos, son conocidas genéricamente como toxinas. Nuestra alimentación está repleta de colorantes, aromatizantes y conservantes artificiales, pesticidas e insecticidas, aceites rancios y otros componentes no digestibles que nos sobrecargan los riñones, los intestinos, la piel, los pulmones y el hígado. A medida que esta carga tóxica se va acumulando debido a que ha formado parte durante años de una mala dieta, y a la contaminación del aire y del agua, empieza a interferir con el funcionamiento normal del cuerpo y perjudica su propia eliminación.

Los higienistas naturales sostienen la teoría de que esta toxemia es la causa de las enfermedades. El organismo de una persona enferma está plagado de venenos que ha ido recibiendo a través de los contaminantes de su alimentación (plomo, arsénico, fármacos, nicotina, desechos celulares y metabólicos de alimentos mal combinados...); de las adicciones (a los dulces, al café, a los cigarrillos...), y a una ingesta excesiva; por no mencionar una nutrición inadecuada. Puede que al levantarte cada mañana tengas dolores de cabeza, costras alrededor de los ojos, mal olor corporal, la lengua sucia y la nariz taponada. El cuerpo expulsa toxinas de todas las formas que puede. Un resfriado es sencillamente una válvula de escape para descongestionar los pulmones, la sangre, el hígado y el sistema linfático. El estrés, junto con la mala alimentación, agrava los efectos de esta sobrecarga, impidiendo el flujo normal del pulso vital. El sistema nervioso no puede conducir adecuadamente el flujo vital de energía hacia las distintas glándulas y órganos, y es entonces cuando se pierde claridad y surgen la confusión, la frustración y la inestabilidad. Si no le prestamos atención a estos venenos, se enquistan en el cuerpo y, con el tiempo, llegan a convertirse en patologías crónicas. El ayuno invierte esta tendencia tóxica y libera los venenos almacenados.

Lo bonito del ayuno reside en su simplicidad. Es sencillamente una práctica de abstinencia. Aunque algunos lo contemplan con recelo y lo consideran peligroso, su punto de vista viene motivado más bien por sus miedos y su desconocimiento. Ayunar es una práctica en gran medida inofensiva que prácticamente cualquier persona puede llevar a cabo. La aceptan y practican en la mayoría de los países y en las principales religiones del mundo. En contraposición a los tratamientos médicos exponencialmente caros de hoy en día, con su vorágine de hospitales, médicos, laboratorios, equipos de alta tecnología, exorbitantes primas de los seguros médicos y pleitos por negligencias médicas, el ayuno es algo que normalmente puede hacer uno mismo y es gratis.

Hoy en día están de moda los gimnasios, el bronceado con rayos UVA y el culturismo. Parece ser que todo el mundo quiere tener un cuerpo bonito. Pero diseñan su imagen de la misma forma que elegirían su mobiliario. Centran su atención en lo exterior. Los que practican el ayuno también quieren tener cuerpos bonitos, pero su foco de atención es fundamentalmente interior.

Ayunos parciales o moderados ～～～～～

En sentido estricto, el ayuno es la abstinencia total de cualquier tipo de alimento. Una persona que dice que está haciendo un ayuno a base de zumos o frutas, en realidad se está refiriendo a un régimen dietético particular que limita su ingesta de comida. Pero en ambos casos se están consumiendo alimentos y eso, en sentido estricto, no es ayunar. No obstante, hay numerosas dietas alternativas. Así, nos encontramos con nuevas expresiones en nuestro vocabulario *de la salud* tales como ayunos parciales, monodietas, liquidarianismo, etcétera.

Como decíamos, un ayuno total es aquel en el que sólo se consume agua o, a lo sumo, agua con un chorrito de limón. El ayuno a base de zumos supone la ingesta de zumos de frutas o verduras, además de agua. Los ayunos a base de fruta son regímenes en los que sólo se come fruta. Las monodietas consisten en comer un solo tipo de alimento cada día. Por ejemplo, un ayuno a base de manzana supone comer sólo manzanas durante un día. No tienen por qué ser solamente de fruta. Los seguidores de la macrobiótica siguen a veces monodietas de arroz integral, en las que sólo comen arroz. El liquidarianismo es una dieta basada únicamente en líquidos sin fibra. El zumo es la bebida principal de la dieta liquidariana. No obstante, un régimen liquidariano puede incluir también otros líquidos, tales como infusiones, caldos de verduras y leche de almendras o de otros tipos de frutos secos, por mencionar algunos. Pero todos deben ser líquidos colados y sin fibras.

Todos estos ayunos moderados son llamados «ayunos» por una buena razón. La palabra «ayuno» procede, de hecho, de la arcaica voz en lengua teutónica *faestan*, que significa «estricto». Estas dietas de las que hablamos son sin duda estrictas, en el sentido de que se limitan a un régimen particular. Por otra parte, dado que ese régimen incluye alimento, también es cierto que no puede llamarse ayuno en el «estricto» sentido de la palabra.

No obstante, semántica aparte, estos ayunos tienen un gran valor. Todos ellos implican, de alguna manera, la purificación y la regulación química del cuerpo. Además ofrecen una fantástica oportunidad para «abrir boca» a aquellos que están iniciándose en el ayuno, pero que todavía no tienen suficientes conocimientos o suficiente confianza en sí mismos para comenzar el ayuno con todas las de la ley. Como veremos más adelante, también son una estupenda manera de preparar el cuerpo y la mente para un ayuno total, al constituir una transición de una dieta completa a un ayuno completo.

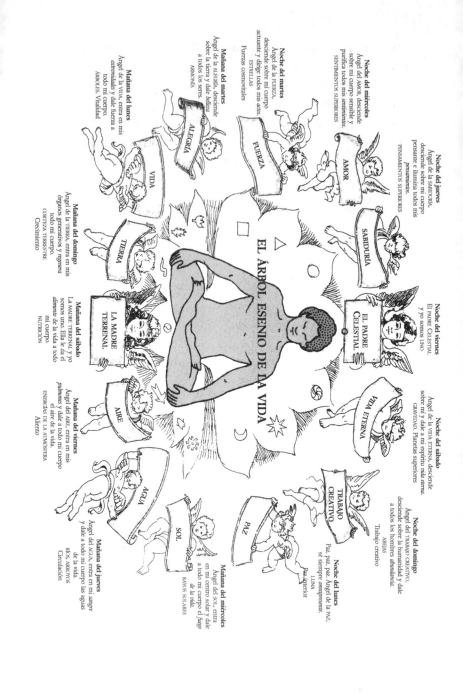

EL ÁRBOL ESENIO DE LA VIDA

Noche del jueves
Ángel de la SABIDURÍA,
desciende sobre mi cuerpo
pensante e ilumina todos mis
pensamientos.
PENSAMIENTOS SUPERIORES

Noche del miércoles
Ángel del AMOR, desciende
sobre mi cuerpo sensible y
purifica todos mis *sentimientos*.
SENTIMIENTOS SUPERIORES

Noche del martes
Ángel de la FUERZA,
desciende sobre mi cuerpo
actuante y dirige todos mis *actos*.
ESTRELLAS
Fuerzas cosmovitales

Noche del lunes
Ángel de la ALEGRÍA, desciende
sobre la tierra y dale *belleza*
a todos los seres.
ARMONÍA

Mañana del lunes
Ángel de la VIDA, entra en mis
extremidades y dale fuerza a
todo mi cuerpo.
ÁRBOLES. Vitalidad

Mañana del domingo
Ángel de la TIERRA, entra en mis
órganos generativos y *regenera*
todo mi cuerpo.
CORTEZA TERRESTRE
Crecimiento

Mañana del sábado
La MADRE TERRENAL y yo
somos una. Ella le da el
alimento de la vida a todo
mi cuerpo.
NUTRICIÓN

Mañana del viernes
Ángel del AIRE, entra en mis
pulmones y dale a todo mi cuerpo
el aire de la vida.
ENERGÍAS DE LA ATMÓSFERA
Aliento

Mañana del jueves
Ángel del AGUA, entra en mi sangre
y dale a todo mi cuerpo las aguas
de la vida.
RÍOS, ARROYOS
Circulación

Mañana del miércoles
Ángel del SOL, entra
en mi centro solar y dale
a todo mi cuerpo el *fuego*
de la vida.
RAYOS SOLARES

Noche del lunes
Paz, paz, Ángel de la PAZ,
sé siempre *omnipresente*.
Paz superior

Noche del domingo
Ángel del TRABAJO CREATIVO,
desciende sobre la humanidad y dale
a todos los hombres *abundancia*.
ABEJAS
Trabajo creativo

Noche del sábado
Ángel de la VIDA ETERNA, desciende
sobre mí y dale a mi espíritu *vida eterna*.
GRAVEDAD. Planetas superiores

Noche del viernes
El PADRE CELESTIAL
y yo somos UNO

VIDA

ALEGRÍA

FUERZA

AMOR

TIERRA

SABIDURÍA

LA MADRE
TERRENAL

EL PADRE
CELESTIAL

AIRE

VIDA ETERNA

AGUA

SOL

TRABAJO
CREATIVO

PAZ

1

Cómo empezar

Una motivación adecuada

Para ayunar eficazmente tienes que tener claras tus intenciones. Esto tal vez suene un poco chistoso, pero no es raro que la gente ayune por motivos equivocados. La anorexia, por ejemplo, es un desorden de la personalidad por el cual las personas dejan literalmente de comer para llegar a ajustarse a una percepción distorsionada que tienen de sí mismas. Suelen pensar que tienen sobrepeso y dejan de comer incluso hasta llegar al borde de la inanición. La bulimia es otro desarreglo alimenticio por el que las personas se atiborran de enormes cantidades de comida para después vomitarla por completo. Muchas de estas personas oscilan entre los atracones, las purgas y la anorexia. Por supuesto, tienen un deseo auténtico de limpiar su cuerpo, pero el ciclo constante de ayunos y comilonas produce muchas tensiones fisiológicas y muy poca cura. Obviamente, ninguna de estas situaciones es adecuada para ayunar.

Hay otras razones menos drásticas, pero aun así poco saludables, para ayunar. Están aquellos que ayunan o prolongan un ayuno simplemente por razones de ego o de imagen. Ayunar puede convertirse en un regodeo ególatra. Si Juan puede ayunar durante treinta días, entonces Alberto quiere superarle y ayunar durante cuarenta. Incluso aunque percibas que mejora tu posición social, ayunar no es una práctica vicaria. Afecta a tu cuerpo y no al de otra persona. Uno debe tener la consciencia correctamente enfocada para obtener los beneficios que aporta el ayuno. Un ayuno adecuado comienza con una actitud limpia hacia él.

Razones para ayunar

- Acción política o social
- Metas personales o espirituales
- Programa médico personal
- Romper adicciones alimentarias
- Problemas dentales graves
- Sanar el cuerpo
- Limpiar el cuerpo
- Perder peso

Los ayunos de mayor éxito son aquéllos que se inician con una férrea voluntad sólidamente basada en una necesidad física o espiritual. Los animales ayunan de forma natural cuando están enfermos y el hombre y la mujer pueden beneficiarse mucho de esta práctica. En lugar de cargar al organismo con medicinas, que interfieren el proceso curativo natural del cuerpo o disimulan los síntomas al sublimar el dolor, el ayuno limpia el flujo sanguíneo, los tejidos y las células para conseguir una curación a fondo y radical. El ayuno, más que curar, rejuvenece.

Sanar una enfermedad. No obstante, aunque tal vez no sea el remedio preferido para afrontar todas las enfermedades, hay una larga lista de dolencias que históricamente han respondido bien al ayuno. Utilizamos la palabra «históricamente» porque, a día de hoy, la medicina alopática no reconoce el legítimo valor terapéutico del ayuno. Por ello, éste no ha podido beneficiarse de la riqueza de facilidades y recursos para investigación y experimentación de los que goza la medicina moderna.

Tradicionalmente se ha utilizado el ayuno para superar una gran variedad de enfermedades. En el siguiente cuadro reseñamos algunas de estas enfermedades.

Enfermedades tratadas tradicionalmente mediante el ayuno

Alergias	*Enfermedades de la piel*
Asma	Acné
Bronquitis	Psoriasis
Alergia al polen	Úlceras
Urticaria	Forúnculos
Reumatismo	
Obesidad	*Afecciones digestivas*
Insomnio	Problemas de hígado
Migraña	Estreñimiento
Inflamaciones	Cálculos biliares
Arteriosclerosis	Diarrea
Hipo/hipertensión	Tumores

Purificar y mejorar la salud. Aunque no tengas problemas tan graves como estos, puedes optar por ayunar sencillamente para purificarte y mejorar tu salud. Es más una medida preventiva que un tratamiento para una enfermedad concreta. El ayuno periódico mantiene tu cuerpo a un nivel óptimo de funcionamiento, de la misma forma que limpiar anualmente tu calentador evita que se estropee durante el invierno. Se trata de una limpieza general.

Además, ayunar incrementa la energía y prolonga la vida. Un estudio realizado con ratones, en el que éstos ayunaron uno de cada tres días, mostró que su período vital se incrementó en un 40 por 100.

Perder peso. Otra razón importante para ayunar es perder peso. El ayuno tal vez sea el más reconfortante de todos los regímenes que hay para perder peso, ya que los resultados son rápidos y claramente visibles. De hecho, es muy bueno para acabar con todo tipo de adicciones alimentarias tales como la adicción al café, a los dulces, al alcohol, al tabaco, etc. (Más información acerca de perder peso en la página 132.)

Metas personales o espirituales. La siguiente motivación más frecuente para ayunar es la espiritualidad. El mero hecho de vivir sin comer constituye para algunos un milagro. La mente se te despeja, el cuerpo entero se te relaja y consigues adaptarte de golpe a un nuevo estado de consciencia en el que oyes, sientes y piensas cosas que no percibirías normalmente. Incluso en el caso de que seas agnóstico, disfrutarás de la sensación de bienestar (como la de un corredor en su momento culminante) que se obtiene gracias a un ayuno prolongado. Ayunar mejora la disposición mental y refuerza la disciplina y determinación propias a medida que se va superando el reto personal que supone.

Acción política o social. En los últimos tiempos se ha utilizado el ayuno como herramienta para reivindicar el cambio político y social. Debido a que nuestra cultura identifica el ayuno con la muerte, se ha llegado a identificar éste como un acto dramático de rebeldía mediante el cual el que ayuna lo hace para llamar la atención sobre su persona y su causa. Estas son algunas figuras políticas famosas que ayunaron: Bobby Sands, que ayunó hasta la muerte; Dick Gregory, que corrió 24 kilómetros en su centésimo día de ayuno a base de zumos; Andrei Sajarov, el físico ruso, y Mahatma Gandhi, el padre de la India moderna.

Problemas dentales. El ayuno se ha utilizado para curar problemas de encías y enfermedades períodontales, pero también resulta de gran ayuda cuando se sufren otros dolorosos problemas odontológicos como abscesos dentales, endodoncia y dolores de muelas. Nadie disfruta de la comida en situaciones así, y ayunar ayuda a paliar el dolor y favorece la curación.

Elegir el momento y el lugar adecuados ～～～

Ahora llega la gran pregunta: *¿Cuándo?* El éxito o el fracaso de un ayuno puede venir dado por el momento en que se elija hacerlo. Recuerda que el ayuno requiere ahorro de energía. No sería nada aconsejable empezar el ayuno cuando estés soportando exigencias de tipo físico, emocional o mental. Si eres una actriz que actúa en Broadway y cada noche tienes que dar el 100 por 100 de ti misma, sería un mal momento para ayunar. Cada día de ayuno con estrés hará que aumente medio día más el tiempo necesario para purificarte. Es decir, quince días de ayuno bajo tensión darían como resultado el mismo grado de purificación que un ayuno relajado de diez días.

Por tanto, ayunar no es sólo una cuestión de tiempo, sino también de energía. Sí, es cierto que ahorras energía al no tener que emplearla en la digestión de comida; pero si luego la gastas con la tensión mental o emocional, entonces no la tendrás disponible para curarte. El cuerpo humano es una máquina muy inteligente. Centra su atención allí donde hay necesidades inmediatas. Si existe una crisis emocional, los músculos se tensan, las glándulas suprarrenales se revolucionan, el corazón late más deprisa y sube la presión sanguínea. En ese momento no hay tiempo para la curación. Sin embargo, si estás tirado en una tumbona en la playa bebiendo limonada, tu máquina corporal estará trabajando en su propia recuperación interna y limpieza general: eliminará las células muertas y las toxinas; las células del hígado se renovarán; el intestino delgado y el colon liberarán los desechos, etc.

La idea de estar en una playa no es mala. Las vacaciones son un buen momento para ayunar. El propósito de las vacaciones es, en cualquier caso, descansar, o al menos debería serlo. Unas de las mejores vacaciones que puedes darle a tu cuerpo es llevarlo de viaje a un soleado balneario repleto de aguas minerales, baños de vapor, un bar de zumos y un entorno de aire fresco y árboles frutales. Si invirtiéramos nuestras primas anuales o pagas dobles en algo así cada año, mejoraríamos nuestra salud en lugar de tener que contratar un seguro contra enfermedades. Sin embargo, normalmente, nuestras vacaciones conllevan el consumo de copiosas cantidades de comida, lo que a menudo es, de hecho, uno de sus mayores atractivos. (Si quieres una solución a este problema, ve a la página 45.)

Si te vas de vacaciones en invierno, probablemente no deberías ayunar aunque quieras hacerlo. A no ser que en diciembre te vayas a las Bahamas, el clima frío no es el mejor ambiente para una persona que va a ayunar.

Cuando ayunas, te quedas frío. La comida produce calor, que medimos con las calorías. El proceso de digestión es como una combustión: crea calor, igual que hacer ejercicio y, en general, cualquier otra actividad. Sin embargo, si estás inactivo, te quedas frío y, sin las calorías que aporta una dieta normal, te enfriarás todavía con mayor facilidad. El cuerpo consume energía para crear el calor necesario para compensar y protegerse a sí mismo de los elementos. Por otra parte, cuando el clima es similar a la temperatura corporal en estado activo, el cuerpo no necesita energía adicional para enfriarse o calentarse.

Un cálido sol es un fantástico sanador. Tu cuerpo está a gusto y el sol te relaja y te nutre. ¡Ahí está! Cuando no hay otra fuente de alimentación, tu inteligente y magnífico cuerpo transforma la luz en vitamina D y en energía. Exactamente igual que los paneles solares, puedes recargarte con el sol. Pero no te excedas. Si estás débil, te fortalecerá, pero si estás exhausto, te agotará del todo. Por eso la playa encaja muy bien en nuestra pequeña escena vacacional. La fresca brisa marina modera la temperatura, además de aportar humedad y aire ionizado negativamente. ¡Incluso el aire resulta vigorizante! El aire del mar te llenará de su rico aporte de nutritivo oxígeno y te fortalecerá.

Por supuesto, lo normal es que decidas no ayunar durante las vacaciones. Pero, vaya, ¿cuándo, si no puedes hacerlo en otro momento? En general, tienes el año entero a tu disposición. Pero, por favor, evita los períodos de tensión, distracción y todo tipo de inconvenientes. El período de visitas familiares de Navidad es un momento especialmente poco indicado para ayunar.

¿Cómo se lo explicas a tus familiares? «No te lo tomes como algo personal, mamá, no es tu cocina. Es sólo que necesito purificarme de toda la demás comida con la que me has cebado en el pasado.» No importa cómo intentes explicarlo; no funcionará. Intenta terminar el ayuno antes de que lleguen las navidades, los cumpleaños y otras ocasiones especiales.

(Una excepción: algunos vegetarianos prefieren ayunar durante la Navidad como muestra de compasión hacia los pavos condenados a muerte.)

Tal vez el único factor que consiga desbancar a los demás sea tu entusiasmo. Si tienes pasión, fortaleza de espíritu y estás «mentalizado» para ello, entonces es el momento adecuado. Escucha a tu cuerpo. Él sólo te pedirá el ayuno en el momento apropiado, ya sea invierno, primavera, verano u otoño. Si es invierno, abrígate bien, manténte caliente y haz lo que haga falta para protegerte del clima. Simplemente recuerda: la clave está en el estrés. Cuanto más te aísles del clima y de las vicisitudes de la vida diaria, menor será el estrés. Cuanto menos hagas, más rápido actuará el ayuno y menos tiempo tardarás en obtener los resultados deseados.

Una cosa más. Recuerda lo que hemos comentado sobre los problemas dentales. En principio, si los tienes, no es el momento ideal para ayunar, porque estás bajo tensión y sufriendo algunos de los demás factores que hemos mencionado. Pero, por otro lado, tampoco es un buen momento para comer. De manera que, si realmente no vas a poder disfrutar de la comida, ¿por qué no ayunar?

La dieta preayuno ～～～～～～～～～～～

El propósito de la dieta preayuno es preparar al cuerpo, física y mentalmente, para el reto del ayuno. Una típica dieta preayuno dura de uno a tres días. Pero tú decides la duración. Todo lo que se necesita es el tiempo suficiente para que el cuerpo haga la transición de la comida sólida a los zumos. Es el medio perfecto para aquellos que no han ayunado nunca o que no acaban de decidirse a hacerlo.

Una típica dieta preayuno podría consistir en: *Primer día* a base de verduras cocidas, ensaladas, frutas y zumos. Cualquier alimento dentro de estas categorías puede valer, y aun así es una dieta limitada, porque excluye cereales, pan, productos lácteos, pescado y carnes.

El *segundo día* suele ser ligeramente más limitado, pudiendo tomar sólo ensaladas crudas, frutas y zumos.

El *tercer día* podría limitarse únicamente a frutas y zumos. Cada día va siendo progresivamente más restringido hasta llegar al día del ayuno. Las frutas y verduras deben tomarse, por supuesto, por separado. Por ejemplo, habría que tomar la fruta para la comida y las verduras para la cena. Si tienes poco tiempo y eres un ayunador experimentado, podrías elegir una dieta preayuno de un solo día, consistente, por ejemplo, en una jornada a base de ensaladas o de fruta y zumos. Toma siempre zumos y agua en tu dieta preayuno, ya que serán los elementos principales del ayuno en sí.

Otro tipo de dieta preayuno puede ser la monodieta que comentábamos anteriormente. Un día a base de uvas resultaría una dieta profundamente purificadora, mientras que, a la vez, conservaríamos los beneficios de una comida sólida.

También puedes elegir comer un día a base de melón, manzana o cítricos. Todos ellos son alimentos muy purificantes y acondicionarán y prepararán tu cuerpo para el ayuno. Debido a su capacidad desintoxicadora, estos alimentos pueden acortar el ayuno. No obstante, si prefieres elegir brotes o lechuga, también valdría, ¡pero no elijas salchichas! Debes mantenerte siempre dentro de las familias de la fruta y la verdura y, preferiblemente, comerlas crudas. Evita las solanáceas: el tomate, el pimiento verde, las patatas y las berenjenas. Tampoco se puede hacer una dieta macrobiótica de arroz integral, porque es un cereal. Pero, como ya dijimos, los macrobióticos no ayunan.

Otro tipo de dieta preayuno consiste en saltarse una o dos comidas. Hazla dos o tres días y sáltate la cena cada día. O, si te resulta más fácil, sáltate el desayuno y la comida; depende de ti, según lo que te vaya mejor. Tal vez te sea más cómodo saltarte el desayuno si tienes que salir corriendo al trabajo y no tienes tiempo en cualquier caso de disfrutarlo; o quizás estés tan atareado en la oficina que puedas permitirte obviar la comida.

Aquellos que seáis sensibles al azúcar probablemente deberíais evitar tomar fruta. Aunque es un alimento maravillosamente purificante, si afecta a tu nivel de azúcar en sangre, evítalo. Las frutas ácidas también pueden comportar riesgos para algunos. Lo más seguro son las ensaladas.

Los preayunos no son ayunos. Se ingiere comida sólida y no se llega a una disociación física ni mental de la comida. No obstante, son muy buenos para acondicionarte mental y físicamente de cara al ayuno y, para aquellos que son incapaces de ayunar, ofrecen la oportunidad de limpiar un poco su cuerpo.

Dar el salto 〜〜〜〜〜〜〜〜〜〜〜〜〜〜〜〜〜

¿Por qué no? Si ya tienes experiencia ayunando y estás seguro de lo que vas a hacer, entonces, adelante. Es como zambullirse en el mar para darse un chapuzón. Si ya lo has hecho antes, sabes lo que te espera. Los primeros minutos, el agua está un poco fría. Pero no es nada nuevo, ya lo has hecho antes. Por otro lado, si no estás muy seguro de ti mismo y no nadas a menudo, tal vez prefieras meterte poco a poco y adaptarte gradualmente al agua. Este es el papel del preayuno.

Pero algunas personas prefieren tirarse de cabeza y pasar cuanto antes el mal trago sea como sea. Si eres una de esas personas, adelante. Eres el capitán de tu propio barco y nadie te conoce mejor que tú mismo. Sabes cuál es tu estado físico y sabes si tienes la disciplina necesaria para hacerlo. Por supuesto, un ayunador experimentado tiene mayor conocimiento de causa que un principiante. Siempre y cuando te hayas preparado lo mejor que sepas, esta es una manera tan buena de hacerlo como cualquier otra. Si te sientes listo para ello, no hay mejor momento que el presente para empezar.

2

Cuánto tiempo ayunar

Probablemente ya sepas más o menos cuánto tiempo quieres ayunar. Puede que si alguien te propone ayunar durante treinta días, respondas dramáticamente: «Oh, nooo… yo no». O puede que la respuesta sea: «Sí, desde luego, e incluso más…». En cualquier caso, seguro que tienes una idea más o menos general del tiempo que tienes pensado ayunar.

La duración de un ayuno depende de:

- la experiencia que se tenga ayunando
- la condición y fortaleza físicas
- la naturaleza de la enfermedad, en caso de que la hubiera
- la dieta previa
- la actitud mental
- el nivel de toxicidad

- el programa de trabajo y el de actividades
- el entorno y el clima
- la edad

Ayunos cortos

Básicamente hay dos duraciones para el ayuno: corto y largo. Un ayuno corto es aquel que dura menos de dos semanas. Uno de los aspectos que determinan que un ayuno se considere corto o largo es el potencial que tiene para dañar. Es muy improbable que un ayuno de dos semanas o menos no produzca ningún daño irreparable, incluso aunque lo hagas todo mal. Por otro lado, podrías tener serios problemas si haces las cosas mal durante treinta días.

Un día a la semana

Ayunar un día a la semana es una maravillosa práctica que te recompensará reforzando tu sistema inmunológico y dándote mayor longevidad y vigor a lo largo de tu vida. Dale un respiro a tu organismo. Día tras día lo vas cargando sin descanso. Los diminutos obreros de dentro de tu estómago no paran de vérselas con la nueva carga que les echas encima, repartiéndola y moviéndola de un lado a otro a través de los metros de intestinos y kilómetros de carreteras circunvalatorias. Los trabajadores tienen derecho a un día libre. ¡Y más vale que se lo des, porque ya sabes lo que se siente cuando se ponen en huelga! Moctezuma no es el único que sabe vengarse.

¿Qué quiere decir cogerse un día libre? Depende de a qué sindicato pertenezcas. ¿Al de 24 o al de 36 horas? Si perteneces al sindicato de las 24 horas, empieza saltándote la cena del martes y vuelve a comer en la cena del miércoles. Te habrás saltado tres comidas y habrás ayunado aproximadamente desde las 21.00 hasta las 21.00 del día siguiente, 24 horas. No es algo muy duro, ni siquiera para un principiante. Si te mantienes suficientemente ocupado, puede que ni siquiera te enteres. Sin embargo, tu cuerpo sí lo hará, y te estará agradecido. Si estás en el sindicato de las 36 horas, empieza a ayunar después de la cena del martes, no comas nada sólido durante el miércoles, duerme a pierna suelta la noche del miércoles y disfruta de un «des-ayuno» el jueves por la mañana. De esta forma también te saltas tres comidas, pero incluyes un período de descanso. No es tan duro, porque, de las 36 horas, ¡te pasas 16 de ellas durmiendo! Eso debería ayudarte a cumplir tu disciplina y además ayuda a la purificación de tu cuerpo. Éste se pone a trabajar durante el sueño, deshaciendo y eliminando los desechos.

Cualquiera puede hacer un ayuno de un día. Piensa en las ventajas que tiene hacerlo una vez por semana. Si ayunas un día a la semana, ¡habrás ayunado 52 días al año! Tu cuerpo te lo agradecerá y vivirás más. Siempre habrá algún día en el que puedas encajarlo. Elige uno que no interfiera con el programa de otras personas. Evita los acontecimientos sociales que impliquen comida y diversión. ¡No querrás quedar como un bobo en una fiesta de sábado noche contándole a tus amigos que tienes que ayunar para mejorar tu salud! Eso sólo te hará quedar como un bicho raro. Aunque puede que te sientas único y quieras contarle al mundo tu experiencia, piensa que es sólo tu ego el que habla. Ayunar no consiste en eso. Guárdatelo para ti. Ayuna un día en que no tengas muchas tensiones, actividades o que no interfiera con el programa de otras personas. Intenta que sea el mismo día todas las semanas o, si es necesario, varía sólo un día arriba o abajo. Si tu día de ayuno es el lunes (probablemente una buena elección dados los excesos del fin de semana), si no te queda más remedio, pásalo al martes.

Otra variación del ayuno de un día es el *ayuno de día alterno*. Es el ayuno de 24 horas que hemos descrito anteriormente practicado un día sí y uno no. Algunas personas practican este método para perder peso. Comes, pero la mitad, con períodos de descanso más largos para la cura y la eliminación de desechos. Ahora bien, los días que toque comer, no te atiborres. Si lo haces, entonces esta dieta no es para ti.

Tres días y más

El siguiente tipo de ayuno corto suele ser el de tres días. Tiene la ventaja de que prolongas el ayuno después de haber pasado un día acostumbrándote a él. A fin de cuentas, el primer día es el más duro. Se hace más fácil si practicas una dieta preayuno, pero aun así siempre hay un período de transición y, ya que has hecho el esfuerzo, ¿por qué no sumarle unos pocos días más y sacarle más partido? El ayuno de tres días supone ya un respiro bastante mayor y, si has forzado demasiado tu máquina gastrointestinal, le dará un muy merecido descanso y la oportunidad de recargarse.

Los ayunos de uno y tres días son estupendos para romper las rachas de comilonas, antojos, dulces y otras malas costumbres o hábitos. Son especialmente buenos después de haber comido más de la cuenta o tras extenuantes eventos sociales. Es algo sabido que en las bodas es bastante habitual comer más de la cuenta, así que, si te ves tambaleándote de vuelta a casa después de una, tal vez te plantees poco después el ayunar. Comprobarás que ayunar durante uno o tres días devuelve el apetito, así que, en este sentido, también disfrutarás con el ayuno de uno de los placeres de la comida, tener ganas.

Una semana, diez días, dos semanas 〰〰〰

Estos ayunos más prolongados, aunque todavía son ayunos cortos, empiezan a desarrollar en uno el ritmo, la sensibilidad y la respuesta psicológica de un auténtico ayuno. ¡Y no son más difíciles de hacer! Si estás en sintonía con tu ayuno (es decir, te sientes bien y tienes ganas de continuar), entonces no supone un esfuerzo mayor ayunar siete días que diez o catorce. (Si quieres saber más acerca de «estar en sintonía» con tu ayuno, ve a *Saber cuándo dejarlo*, página 141.)

La parte más dura de un ayuno va desde el primer hasta el tercer día, cuando tu cuerpo está haciendo la transición de la comida al ayuno. Es tanto un proceso físico para tu estómago cuanto una tarea mental y emocional para ti. Físicamente, tu cuerpo pasa de transformar las calorías que recibe desde el exterior a usar sus propios recursos almacenados interiormente. Imagínate a un administrativo cuya mesa está llena de montones de papeles y proyectos. Cada día entra más correo y más notas y más proyectos. Él o ella ansían el día en que dejen de entrar cosas para poder ponerse al día. No obstante, aunque dejaran de entrar cosas tendrían suficiente trabajo acumulado para mantenerlos ocupados durante varias semanas. Así es como funciona nuestro organismo. Tiene suficientes reservas almacenadas para mantenernos nutridos durante mucho más tiempo del que la mayoría de la gente cree. Conseguir superar «el bache» es lo más duro. Es como seguir haciendo *footing* una vez que se ha superado la barrera que los anglosajones llaman de las cinco millas. Tu cuerpo pone entonces el automático y es sorprendentemente fácil seguir. De la misma forma, aunque durante los tres primeros días de ayuno tienes esa sensación de vacío en el estómago que se tiene habitualmente entre comidas cuando se come normalmente, también eso cesa. Es sencillamente una cuestión de reajuste.

Mientras que el ayuno de uno a tres días le permite a tu organismo «ponerse al día» o hacer limpieza general, el ayuno de siete a catorce días permite una recuperación y una eliminación celular más profunda. Admitámoslo, hay personas que nunca llegarían a ayunar treinta días. Si lo más que llegas a conseguir es hacer un ayuno de una o dos semanas, entonces sácale todo el partido que puedas. Ayuna al menos una vez al año. Hazlo cada primavera u otoño. Elige una época y sé regular. Después de todo, los efectos de un ayuno prolongado disminuyen con el tiempo. Si ayunaste cuarenta y cinco días hace ocho años, las consecuencias que pueda tener en tu programa de salud presente son mínimas. Debes ayunar regularmente, de la misma forma que debes comer regularmente. Un programa excelente sería hacer un ayuno de dos semanas cada año.

Ayunos largos

Los ayunos que duran más de dos semanas son generalmente considerados ayunos largos y, en este caso, es recomendable tener experiencia y algún tipo de guía. Como en cualquier viaje, uno de los primeros pasos más importantes es quitarse el miedo a lo desconocido. Estudia, planea y consulta. Ten contactos preliminares con médicos con un punto de vista parcial del ayuno, tales como quiroprácticos, naturópatas, homeópatas, terapeutas físicos, osteópatas o, incluso, médicos orientados hacia la medicina natural. Pueden ser de gran ayuda. Si tienes alguna dolencia seria es obligado hacerse un chequeo físico antes de emprender un ayuno largo. La experiencia completa, evidentemente, sólo puede adquirirse tras haberlo llevado a cabo.

Los ayunos largos permiten una recuperación celular, una eliminación y un rejuvenecimiento más profundos, y normalmente se utilizan para intentar mejorar dolencias crónicas como artritis, asma, arteriosclerosis, úlceras, psoriasis, tumores, alergia al polen o fiebre del heno, urticarias, migrañas, reumatismo, obesidad, hipertensión, etcétera. Estas enfermedades suelen estar fuertemente arraigadas, pero no es imposible conseguir ayunar treinta, cuarenta y cinco, sesenta o setenta y cinco días o más para curarse.

No todos los problemas quedan completamente resueltos en ese tiempo. Por muy largo que te resulte el ayuno, en realidad es bastante breve en comparación con toda una vida de malas costumbres. De hecho, muchas veces es necesario hacer una serie de ayunos para conseguir curarse del todo. No obstante, un único ayuno largo mitigará los síntomas, reducirá el dolor en la mayoría de los casos y hará el consiguiente proceso de curación más llevadero para el cuerpo durante el período de alimentación normal.

Los que practican ayunos largos a menudo sienten que han «renacido» y gustosamente cambian setenta y cinco o cien días de comida por estos resultados de efecto salva-vidas.

Cambios químicos durante el ayuno ～～～～

Químicamente hablando, el ayuno se divide en tres eta-pas. Los primeros días del ayuno están dedicados principal-mente a la reorientación de tu cuerpo. Tu organismo empieza a elevar el pH del estómago, volviéndolo más alcalino. El estó-mago se contrae y se limpia el tracto digestivo. También es en esta fase cuando se experimenta la pérdida de peso más fuer-te. Los primeros días tendrás una fuerte eliminación de agua, minerales (especialmente sodio y potasio) y vitaminas hidro-solubles. La pérdida de proteínas al principio es de hasta 75 gramos por día, mientras que más adelante sólo será de 18 a 20 gramos. Puede que tengas hambre, dolores de cabeza, mareos o sudores, y puede que orines mucho; puede que ha-gas deposiciones a diario, pero también que no las hagas du-rante todo el tiempo.

Durante la segunda fase, el hígado empieza a autopur-garse de su carga química y tóxica, lanzando las toxinas al torrente sanguíneo para su eliminación. Podrías sentir náu-seas, cansancio, tener diarrea, dolores musculares, nerviosis-mo, respiración entrecortada, temblores… todos los síntomas de una gripe. La lengua se te ensuciará y puede que desarro-lles mal aliento, mal olor corporal y/o erupciones cutáneas. Básicamente, tu cuerpo está combatiendo los contaminantes como si acabaras de ingerirlos. Los venenos tienen efecto dos veces: al entrar y al salir del cuerpo. Podrían ser cualquier cosa: drogas ilícitas, medicamentos prescritos, conservantes, aromatizantes, pesticidas o productos empleados para cocinar o, sencillamente, la mala combinación de alimentos. El proceso de curación natural a menudo supone empeorar brevemente antes de mejorar.

Durante la tercera fase comienza la purificación a fondo de los tejidos, se eliminan las toxinas de la sangre y los restos celulares y desechos son expulsados a través de los riñones.

La tercera fase combina algunos de los síntomas de las dos primeras fases junto con explosiones de energía. Gradualmente obtendrás una sensación total de bienestar. Este es el período de desintoxicación de los órganos y de regeneración. Es un paquete mixto. Puede que experimentes euforia o estrés; irritabilidad o una actitud mental positiva y autoestima.

3

Ayuno con agua

Ojalá pudieras vivir de la fragancia de la tierra y, como una planta aérea, sostenerte con la luz.

Khalil Gibran, *El Profeta*

Beber sólo agua es la idea que tiene la mayoría de la gente del ayuno. Sin embargo, este tipo de ayuno no es para todo el mundo. Ayunar a base de agua es una dura tarea que requiere un estricto control de las condiciones del ayuno y de las circunstancias.

Descanso

Aquí la palabra clave es descanso. Eso quiere decir inactividad, nada de estrés e, idealmente, un entorno limpio en el que descansar. La soledad y el silencio son los elementos ideales, si puedes arreglártelas para mantener un ambiente así. Resérvate para ti mismo. Evita hablar, escuchar la radio o ver la televisión. No conduzcas (tus reflejos serán más lentos). Toma el sol. Haz yoga. Túmbate sobre la hierba y deja que la naturaleza absorba las toxinas de tu cuerpo y equilibre tu aura. Prepárate para desplegar algunas de tus habilidades psíquicas. Elige una zona de aire limpio y fresco junto a la costa o en la montaña. El ayuno en general, y el ayuno a base de agua en particular, requiere una sumisión total al descanso. Es una especie de hibernación humana. La energía que tengas debe emplearse en la tarea esencial de purificación y limpieza.

Requisitos para un ayuno a base de agua

Personales	Ambientales
Resérvate para ti mismo	Nada de contaminación
Evita la radio y la televisión	Costa o montaña
Toma el sol	Bosque o campo
Túmbate sobre la hierba	Clima subtropical
Haz yoga	
Toma abundante aire fresco	
Descansa mucho, nada de estrés	
Has de haber hecho antes ayuno	
Lee libros espirituales o de ayuno	

Normalmente, cuando no se hace ayuno, el proceso de ruptura y purificación (catabolismo) se produce todas las noches durante el sueño. El ayuno, sin embargo, permite que se prolonguen estos procesos catabólicos durante el día. Normalmente, el catabolismo cesa durante el día debido a la actividad y el estrés. Se dirige energía hacia los músculos y el sistema digestivo. La actividad muscular requiere la eliminación de ácidos lácticos, pirúvicos y otros productos derivados. La digestión, a cambio, segrega fluidos de las glándulas. El sistema nervioso recoge y distribuye señales. El hígado cataboliza agentes químicos y desecha y neutraliza la materia inservible, mientras que en el estómago y los intestinos se produce actividad muscular interna. ¡Demasiado trabajo para un cuerpo! Y, ya que durante un ayuno no se consumen las calorías y nutrientes adecuados y necesarios para este tipo de actividad, el cuerpo se ve aún más forzado y el ayuno puede llegar a producir más perjuicio que beneficio.

Hablando de actividad, debería evitarse la actividad sexual durante un ayuno y hasta que se hayan recuperado plenamente las fuerzas. El sexo reconduce la cantidad de energía disponible hacia los órganos sexuales para la estimulación. Esto es un paso atrás para el proceso de ayuno y una tensión añadida para todo el organismo, ya que los órganos sexuales están inactivos y necesitan ser revitalizados.

Que quede claro que este autor está a favor del ayuno a base de agua, pero sólo para aquellos tan decididos que estén dispuestos a efectuarlo dentro de las limitaciones establecidas y siempre que puedan proveerse de las condiciones adecuadas. Si eres una persona de las de ayuno con agua, lo sabrás. Es casi una decisión de carácter biológico. El ayuno a base de zumos te repele, así que automáticamente te vuelves hacia el ayuno sólo con agua y te decides por él. Es una preferencia automática y evidente. Si lo es para ti, entonces te resultará sencillo. Si no lo es, te resultará imposible. En el acelerado mundo actual, la mayoría de la gente prefiere el ayuno a base de zumos o algún otro tipo de régimen. En general, el ayuno con agua es mejor para la gente sana que ha llevado una vida natural y quiere mejorar su bienestar espiritual y físico. Si crees que este tipo de ayuno es para ti, sintoniza primero tu cuerpo con una dieta preayuno. No te olvides de beber agua en abundancia: al menos lo equivalente a un vaso por hora.

Respiracionismo

El respiracionismo, como tal vez hayáis adivinado por el nombre, es lo último en ayunos. No sólo no tomas nada de comida, ¡tampoco tomas agua! ¿Qué queda? Sólo aire, sol y amor. Este tipo de ayuno definitivamente requiere un entorno puro, sin contaminación. El silencio y la soledad también son algunos de los primeros requisitos. Obviamente, no es para todo el mundo; de hecho, es sólo para unos pocos. Pero si te tienta probarlo, primero conviértete en un experimentado ayunador con agua y, cuando lo seas, en el siguiente ayuno prueba a cogerte un día libre y no tomar agua. Sólo tómate un día de descanso para experimentar el respiracionismo. Y recuerda, ten cuidado, ya que el respiracionismo es sólo para aquellos que saben que están preparados. (Ver el apartado de *Ayuno espiritual* en la página 155.)

4

Ayuno con zumos

¿Es realmente ayunar?

Antes de nada, dejemos las cosas claras: el ayuno a base de zumos es inherentemente una definición inexacta. Un ayuno a base de zumos no es un ayuno auténtico, sino una dieta liquidariana de eliminación. Pero eso es sólo en lo que respecta a la terminología, ya que los hechos son que no comes alimentos sólidos, pierdes peso y te desintoxicas. Por tanto, partiendo de esto último, reduciremos la definición tradicional a la aplicación habitual y utilizaremos la palabra «ayuno».

¿Por qué ayunar con zumos?

Semántica aparte, es la manera ideal de iniciar a los principiantes y de que los ayunadores experimentados vayan tirando a la vez que limpian su cuerpo. A diferencia del ayuno con agua, el ayuno a base de zumos aporta calorías y nutrientes y, por tanto, te protege, al menos parcialmente, frente a las tensiones del trabajo y la actividad. En otras palabras, no hace falta que pases tus vacaciones ayunando; puedes hacerlo durante el período laboral. Yo lo llamo el «Ayuno de la Gran Manzana»*, porque te aporta la energía suficiente para trabajar, casi al ritmo normal, y te protege de las toxinas y las tensiones de la vida diaria en el entorno contaminado de una gran ciudad.

Los zumos son elixires nutricionales concentrados que te alimentan y te aportan la resistencia que necesitas sin tener que cambiar demasiado tu estilo de vida.

Concentración y asimilación

No hay nada tan nutritivo como los zumos. Imagínate lo que debe ser tomarse una comida de espinacas, perejil, brotes, tomates, limón, apio, rábanos, pimiento verde y pepino. Normalmente, teniendo en cuenta el estado normal de nuestros aparatos digestivos, tendríamos suerte si digiriéramos el 70 por 100 de todo ello. Pero si se extrae la parte líquida de estos alimentos esenciales, es posible asimilar y absorber has-

---

*. El ayuno con zumo de manzana es uno de los más recomendables y puede hacerse incluso si uno vive inmerso en el vertiginoso ajetreo de Nueva York, ciudad conocida precisamente como «la Gran Manzana». (N. del E.).

Sol

ta un 99 por 100 del valor alimenticio, incluso aunque se tenga una digestión débil. De hecho, lo bonito de este tipo de alimentación radica en que apenas conlleva nada de energía digestiva, lo que la hace tan apropiada para ayunar. Esta condensación de kilos de alimentos buenos en un solo vaso, a la vez de maximizar su asimilación, es lo que hace del beber zumos algo especial.

Cojamos las zanahorias, por ejemplo. Hace falta medio kilo de zanahorias para obtener 300 gramos de bebida de zumo de zanahoria… mmm, delicioso. ¿Pero podrías comerte todas esas zanahorias? ¡Claro que no! Sin embargo, todas las enzimas, vitaminas hidrosolubles, minerales y pequeños componentes de esas zanahorias son extraídos (suponiendo que sea una licuadora de calidad) y condensados en el zumo.

Este es el mismo concepto que subyace en una pastilla vitamínica: la concentración de nutrientes en una sola pastilla. Pero no es lo mismo. Las vitaminas requieren varios pasos de procesamiento en el trayecto que hacen desde un alimento fresco hasta una pastilla, y muchos de esos pasos pueden conllevar calor, lo que destruye o altera los nutrientes. Además, las pastillas también podrían llevar disolventes químicos o, por supuesto, puede que los nutrientes que lleven no sean en absoluto naturales sino sintéticos. Fabricar pastillas y cápsulas requiere añadirles otros ingredientes además del ingrediente activo. Se llaman excipientes. Pueden ser cualquier cosa, desde edulcorantes hasta estabilizantes, agentes colorantes, rellenos, talco, aglutinantes, etcétera.

¡Algo muy lejano de un vaso de espinacas frescas! Si estás intentando curarte, elige un alimento vivo: el zumo de plantas vivas.

Sobre la fibra

Mucha gente se cuestiona el verdadero valor de los zumos después de toda la promoción y alabanzas que han oído sobre los alimentos integrales. En otras palabras, la fibra de las zanahorias es sana. ¿Por qué eliminarla?

La defensa de los alimentos integrales es, desde luego, algo que este autor apoya. Sus orígenes se remontan a la eliminación del salvado y el germen de la harina y a la extracción de la melaza del azúcar, etcétera. Sin embargo, estos procesos son profundamente diferentes, conllevan disolventes químicos y la destrucción de nutrientes esenciales. En contraposición, el zumo obtiene los nutrientes esenciales de los alimentos y los hace más fácilmente disponibles para la digestión. La fibra de las zanahorias, por ejemplo, es sin duda un factor nutricional importante, por lo que deberían consumirse enteras y crudas. Pero una cosa no tiene por qué excluir la otra. Come zanahorias frescas y otras verduras y frutas frescas. Piensa en los zumos como suplementos y como medicinas y, cuando ayunes, piensa en ellos como en tus comidas.

5

Tipos de zumos

Una dieta a base de zumos se distingue en gran medida del ayuno a base de agua en que engloba un vasto abanico de gustos y sabores. Nunca te aburrirás con un ayuno a base de zumos. De hecho, puede que te lo pases tan bien ¡que empieces a preguntarte cuál es exactamente el sacrificio que dicen que estás haciendo!

Zumos frescos de fruta

Ayunos al margen, cuando la mayoría de nosotros piensa en zumos, pensamos en zumos de fruta. El zumo que más se consume en todo el mundo es el de naranja, con el zumo de manzana pisándole los talones en segundo lugar. El pomelo, las uvas, las ciruelas y los arándanos también están en la lista de los preferidos. El zumo de tomate también goza de mucha popularidad y, aunque técnicamente es una fruta, no se lo clasifica normalmente como tal.

Puedes tomar zumos de frutas a cualquier hora del día. Son buenos por la mañana para desayunar, para la comida o como postre después de la cena. Piensa en los zumos como si fueran comidas. Y toma todo lo que quieras. Normalmente eso quiere decir que puedes tomar entre 250 gramos y 500 gramos, pero en cualquier caso, no más de 600 gramos. No te atiborres de zumo igual que te atiborrarías de comida. De media, una ración de entre 250 y 350 gramos es suficiente.

Los zumos de frutas hay que mezclarlos con otros tipos de zumos a lo largo del día. Uno o dos zumos de fruta al día deberían ser suficientes. Algunos prefieren tomar lo menos posible o incluso nada. Esa es tu elección y para ello deberías guiarte por el conocimiento de tu propia salud y estado, así como de tu sensibilidad a los azúcares en sangre.

Mezclas

Puede que también decidas combinar los zumos de fruta. Hay varias mezclas deliciosas:

- manzana y pera
- manzana, pera y piña
- naranja y pomelo
- manzana y sandía
- manzana y ciruela
- manzana y arándanos
- manzana y uva

Básicamente la fruta es, en su conjunto, un alimento purificador. Su alto contenido en agua limpia el tracto digestivo, los riñones y purifica el flujo sanguíneo. Muchas frutas, particularmente las cítricas, son disolventes poderosos. El limón es el más fuerte, seguido por la lima, la piña y el pomelo. Todas tienen un efecto purgante sobre el hígado y la vesícula biliar.

La piña contiene la enzima bromelina, que promueve la segregación de ácido clorhídrico y ayuda a digerir las proteínas.

La uva, aunque es sólo una fruta subácida, es conocida por su alto poder limpiador. Podrás comprobarlo por ti mismo si alguna vez tomas zumo de uva recién exprimido. Si usas la variedad normal con pepitas, tendrás que diluir el zumo con agua antes de beberlo. Las uvas Concord son las más fuertes.

Las manzanas también actúan como una excelente escoba intestinal. Contienen ácido málico y ácido galacturónico que ayudan a desechar las impurezas, y pectina, que impide la putrefacción de las proteínas. También actúan como agentes de relleno, para dar volumen, abriéndose camino por el tracto digestivo y limpiándolo a su paso. Mucha gente elige la manzana como alimento para hacer una monodieta por este motivo.

El arándano es un excelente diurético, cuyo gusto amargo resulta muy reparador para los riñones. El zumo de sandía también es diurético, especialmente si licúas también la corteza. ¿Y por qué no? Tu licuadora podrá convertir esta parte, normalmente incomible, en zumo fresco. Los zumos de ciruela pasa y albaricoque ayudan a reblandecer el intestino grueso y favorecen las deposiciones.

Ojo con las bayas y las naranjas. Hay mucha gente que tiene alergia a las bayas, y no queremos picores de ojos ni de piel durante un ayuno. Además, estas frutas dan relativamente poco zumo.

Cualquier fruta que no hayamos mencionado hasta ahora es campo abierto con el que puedes experimentar; sólo trata de evitar aquéllas que pudieran estimular alergias potenciales y las que no son licuables.

Las frutas no licuables

- Papaya
- Coco
- Plátano
- Fresa
- Melón cantalupo
- Melón
- Melocotón
- Ciruelas/ciruelas pasas
- Albaricoques
- Aguacate

¿Qué quiere decir esto? Seguro que alguna vez has tomado zumo de papaya, de manzana con plátano, de manzana con fresa, de manzana con albaricoque y de piña y coco. ¡Pues no del todo! Cuando decimos que estas frutas no son licuables, lo que queremos decir es que la pulpa no se separa fácilmente del agua que contienen. Coge un plátano, tritúralo de la forma que prefieras y luego pásalo por la licuadora. ¿Sale algo, aparte de agua? ¡No! Pues lo mismo ocurre con las otras frutas de la lista. Entonces, ¿cuál es el misterio? «Zumo de papaya», por ejemplo, es una denominación inexacta. No es un zumo en absoluto. Los fabricantes mezclan la pulpa de la papaya con agua, edulcorantes o el zumo de otras frutas tales como la manzana o la uva. El zumo de manzana y albaricoque es, en realidad, pulpa de albaricoque mezclada con zumo de manzana.

Las bayas sí que sueltan algo de agua, pero la cantidad de zumo que se extrae de las fresas o las moras es tan pequeña que sería muy caro venderlo por litros. Así que los fabricantes de zumos le añaden entre un 70 y un 80 por 100 de zumo de manzana o uva a sus combinados de «zumos» de bayas. De manera que no son exactamente zumos, sino zumos con pulpa de fruta. Algunas etiquetas así lo indican.

En el caso de la papaya o en otros en los que se añade agua, la denominación comercial correcta es «bebida». Lee las etiquetas. La bebida de coco es carne de coco mezclada con agua y edulcorantes. Sin embargo, la leche de coco es el agua dulce natural que se forma dentro del coco. Es deliciosa y perfecta para un ayuno, pero es cara y difícil de conservar, así que la única manera en que podrás conseguirla será con un martillo y un cuchillo.

La sandía es una fruta maravillosamente jugosa, pero no ocurre lo mismo con los melones: el cantalupo y el melón corriente tienen demasiada pulpa y no dan mucho jugo. La materia licuada que se obtiene de ellos es muy viscosa y contiene virtualmente toda la fibra que hay en la fruta original. Simplemente no es un extracto de la fruta, así que es mejor comerlos que beberlos.

«Zumo de ciruela pasa» también es una denominación equivocada. Intenta licuar unas ciruelas pasas con la licuado-

Tipos de zumos

ra (¡y no te olvides de quitarles primero el hueso o las pepitas!). Después de que tu aparato gruña, tiemble y ruja, verás a qué me refiero. El zumo de ciruela pasa se saca empapando las ciruelas pasas en agua, ya que, en realidad, no son más que ciruelas secas, y extrayendo luego el agua por ósmosis. Por tanto, es sólo un extracto, no un zumo. Ningún fruto seco, como las pasas o los higos secos, dará «zumo». Pero se pueden sumergir en agua y disfrutar de los sabores, azúcares y nutrientes que estos alimentos sueltan al agua. Echa una taza de pasas en un litro de agua durante ocho o diez horas. Está deliciosa y resulta perfecta para un ayuno. Incluso puedes aprovechar un mismo lote de pasas para sumergirlo dos veces.

Zumo pasteurizado *versus* zumo fresco 〜〜〜

No te emociones demasiado pensando en todos los deliciosos zumos de fruta que te vas a tomar a no ser que estés pensando en hacerlos tú mismo. Los zumos envasados tienen que estar pasteurizados para poder conservarse. ¿Qué importancia tiene esto?

Los zumos pasteurizados están hervidos para desinfectarlos de las bacterias y organismos infecciosos. Desgraciadamente, junto con ellos, también se destruyen muchas vitaminas y enzimas. Durante un ayuno con zumos, éstos van a ser tu única fuente de alimento y no puedes permitirte beber líquidos sin enzimas y con un bajo contenido de vitaminas. No te dejes engañar por el delicioso sabor y la interesante diversidad de gustos. Aunque saben bien, básicamente son alimentos muertos. No les queda carga nutritiva; sólo azúcar, sabor y agua. Ni siquiera el sabor ni el color tienen nada que hacer frente a la versión recién exprimida. ¿Qué prefieres: zumo de naranja recién exprimido o el que venden envasado? Si prefieres el zumo de naranja recién hecho, entonces te sorprenderá realmente la diferencia entre el zumo de manzana recién exprimido y el envasado. El zumo de manzana recién exprimido es blanco, exactamente igual que el color de la carne de la manzana cuando le das un mordisco. El zumo de manzana envasado es marrón porque las vitaminas se han oxidado debido a su contacto con el aire. El simple hecho de exponer los nutrientes vivos al aire y a la luz es suficiente para destruir algunos de estos frágiles amigos.

Pasa las manzanas por la licuadora y prueba la diferencia. Fíjate en la palabra «embotellado». Todos los zumos que se venden en botella están pasteurizados, pero el zumo también se vende en *briks* y en envases de plástico. Cuando el zumo de manzana va en envase de plástico, verás que lleva el término «sidra». La sidra implica que el zumo no ha sido pasteurizado y está tal cual lo exprimieron. Es perecedero y, de hecho, debes leer cuidadosamente la etiqueta para asegurarte de que no le han añadido ningún conservante. Si ves la palabra «sidra» en un zumo de manzana embotellado, es un etiquetado incorrecto y engañoso. Los fabricantes consiguen ponerlo y salirse con la suya porque los términos han sido utilizados sin excesivo rigor durante mucho tiempo y las agencias de regulación no han sentado definiciones estrictas para cada caso.

Puedes beber sidra durante tu ayuno. Si la compras en envase de plástico es zumo de manzana fresco. Sabrás si está fresco o no porque el envase se hincha cuando la sidra empieza a fermentarse. ¡No te cortes y aprieta los envases! Si están flexibles, has encontrado sidra de manzana recién exprimida, la mejor. Si están prietos e hinchados, es que la sidra ya ha empezado a fermentarse y deberías elegir otro envase. Los *tetra briks* también pueden hincharse un poco con la fermentación, pero el zumo de la mayoría de estos envases también ha sido pasteurizado. El zumo fresco recién exprimido casi siempre se vende en recipientes de plástico porque, si lo envasaran en cristal, las botellas podrían estallar en las estanterías.

Combinados de zanahoria

Probablemente la bebida más popular entre aquellos comprometidos con su salud sea el zumo de zanahoria. Hace años, sencillamente no existía algo así. Ahora es de lo más *in*. Los bares de zumos y las tiendas de salud y dietética han brotado por todas partes y venden zumo de zanahoria y variaciones de éste. Se ha convertido en un producto tan solicitado que incluso se transporta de un lado a otro en camiones-frigoríficos para venderlo como zumo congelado en las tiendas de salud y dietética. Además de su imagen de bebida sana, ahora los consumidores tienen la garantía científica de cuán beneficioso es beber zumo de zanahoria. Las investigaciones sobre el cáncer han proclamado a la beta-carotina, la versión de la vitamina A presente en las zanahorias, nutriente anticancerígeno.

Pero ¿es el zumo de zanahoria realmente tan bueno? Sí y no. Es tan bueno para ti como lo son las zanahorias. Pero ¿qué hay de todas las demás fantásticas verduras que nos rodean? Las espinacas, el perejil, la remolacha, los pimientos, etc., son todos nutritivos. La zanahoria es, con diferencia, la más dulce, y algunos dicen que la más bonita, pero las espinacas tienen más proteínas y más vitamina A. Un momento, ¡no empecemos una lucha de rivalidades entre nuestras verduras favoritas! ¿Por qué no sencillamente mezclarlas? Como, por ejemplo, así:

Combinados de zanahoria

Zanahoria
Zanahoria + remolacha
Zanahoria + remolacha + pimiento verde
Zanahoria + remolacha + pimiento verde + pepino
Zanahoria + remolacha + pimiento verde + pepino + perejil... o...
Zanahoria + manzana
Zanahoria + manzana + brotes de alfalfa
Zanahoria + manzana + brotes de alfalfa + corteza de sandía
Zanahoria + manzana + brotes de alfalfa + corteza de sandía + jengibre
Zanahoria + espinacas
Zanahoria + espinacas + hojas de zanahoria
Zanahoria + espinacas + hojas de zanahoria + áloe vera... o...
Zanahoria + repollo
Zanahoria + repollo + perejil... o...
Zanahoria + batata... o...
Zanahoria + brotes de girasol...
y muchísimas más...

Cuánto y con qué frecuencia ~~~~~~

Bebe zumo hasta saciar tu apetito. No puede pasarte nada perjudicial, salvo tener un empacho. La ración media de zumo de zanahoria es de 275 gramos. Sin embargo, tomarse hasta 500 gramos no es algo raro, especialmente si estás sediento. No obstante, 600 o 700 gramos ya es demasiado y, si bebes tanto, tal vez lo que tu cuerpo esté intentando decirte es que realmente lo que quiere es comer.

¿Cuántas veces al día? La media es una o dos veces al día. Pero no tienes por qué seguir esa media. Si puede ser, bébete un combinado de zanahoria un día sí y uno no. Después de todo, hay muchas otras bebidas y zumos maravillosos que puedes elegir.

Zumos dulces ~~~~~~~~~~~~~~~~~~~~~

Si te encantan los combinados de zanahoria, toma más. Simplemente recuerda que el zumo de zanahoria es dulce, y tomar demasiado dulce es tan malo en un ayuno a base de líquidos como lo es comiendo alimentos sólidos.

Esa es la ventaja que tienen los combinados de zanahoria. La zanahoria sola resultaría demasiado dulce. De hecho, también durante un ayuno puede darte un dolor de muelas o un ataque de hipoglucemia. Así que ten cuidado. Sin el apoyo de alimentos sólidos, tu cuerpo se volverá más sensible a las adicciones de azúcar en sangre. Mezcla las zanahorias con otras verduras, especialmente las verdes, o dilúyelas con agua; así moderarás su contenido en azúcar.

Pero no sólo por eso: al mezclar, varías la ingestión nutricional y eso es importante durante un ayuno. Por cierto, se pueden beber perfectamente combinados dulces como los de zanahoria, remolacha, manzana y corteza de sandía, etcétera. Siempre hay un momento y un lugar para tomar bebidas, pero todo depende de ti, de tus preferencias personales y de tus apetencias. Recuerda que, si te pasas con estos zumos dulces, podría bajar tu nivel de azúcar en sangre y producirte ansiedades perjudiciales para tu salud y para la continuación del ayuno.

Qué proporciones 〰〰〰〰〰〰

¿Qué hay de las proporciones? La zanahoria siempre domina. En una ración de 280 gramos de zanahoria, remolacha, manzana y cáscara de sandía, 140 gramos serán de zanahoria, 30 gramos de remolacha, 55 gramos de manzana y 55 gramos de cáscara de sandía.

Más combinaciones con zumo de zanahoria
Recetas de zumos de 340 gramos

145 g zanahoria
55 g remolacha
55 g pimiento verde
55 g pepino
30 g perejil

〰〰〰

225 g zanahoria
30 g remolacha
30 g brotes de brécol
55 g apio

〰〰〰

225 g zanahoria
85 g apio
15 g cilantro
15 g ajo

200 g zanahoria
55 g perejil
55 g pepino
30 g rábanos

〰〰〰

145 g zanahoria
55 g manzana
70 g brotes de alfalfa
55 g corteza de sandía
15 g jengibre

〰〰〰

200 g zanahoria
80 g espinacas
30 g de hojas de zanahoria
30 g áloe vera

140 g zanahoria
55 g apio
30 g remolacha
55 g espinacas
30 g repollo
30 g pimiento verde

~~~~~

175 g zanahoria
55 g espinacas
55 g col rizada
55 g pimiento rojo

~~~~~

175 g zanahoria
80 g apio
30 g remolacha
55 g espinacas

~~~~~

175 g zanahoria
55 g tomates
55 g apio
55 g espinacas

~~~~~

200 g zanahoria
55 g espinacas
30 g remolacha
55 g repollo

~~~~~

175 g zanahoria
55 g perejil
55 g espinacas
55 g col rizada

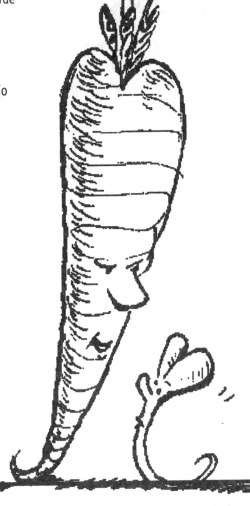

Sol

El aporte nutricional
de 1 taza de zumo de zanahoria

Calorías	98,0	Cobalamina-B12	0,0 mcg
Proteínas	2,32 g	Folatos	9,40 mcg
Carbohidratos	22,8 g	Ácido pantoténico	0,560 mg
Fibra dietética	3,34 g	Vitamina C	21,0 mg
Grasas totales	0,36 g	Vitamina E	0 iu
Grasas saturadas	0,06 g	Calcio	58,0 mg
Grasa monoinsaturada	0,018 g	Cobre	0,114 mg
Grasa poliinsaturada	0,174 g	Hierro	1,13 mg
Colesterol	0,0 mg	Magnesio	34,6 mg
Vit A-caroteno	6.318,0 iu	Fósforo	102,0 mg
Vit A-preformada	0,0 iu	Potasio	716,0 mg
Tiamina-B1	0,226 mg	Selenio	1,80 Mcg
Riboflavina-B2	0,134 mg	Sodio	72,0 mg
Niacina-B3	0,946 mg	Zinc	0,442 mg
Piridoxina-B6	0,532 mg		

Si el peso es de 246 gramos

Contenido de agua	219,0 g
Calorías de proteínas	9%
Calorías de carbohidratos	88%
Calorías de grasas	3%
Relación grasa poliinsaturada/saturada	2,6:1
Relación sodio/potasio	0,1:1
Relación calcio/fósforo	0,6:1

¿Qué es eso de mezclar zanahorias con manzanas? Pues sí. Aunque normalmente no mezclemos frutas y verduras porque es una pobre combinación alimentaria, las reglas de combinación para los alimentos sólidos no siempre se mantienen para los líquidos. Recuerda, los zumos son principalmente agua y la versatilidad que se produce mezclando líquidos es mucho mayor que con los sólidos. La excepción principal aquí es que no se pueden mezclar los zumos de frutas ácidas como el limón, el pomelo o la naranja. Los ácidos pueden cortar otros líquidos, así que, salvo algunas excepciones, sólo se mezclan entre sí. Algunos ácidos como el ácido málico, la enzima digestiva de las manzanas, están por encima de la línea divisoria de las frutas/verduras incluso, hasta cierto punto, con los alimentos sólidos. Por este motivo, tal vez veas que hay ensaladas frescas que llevan manzana o que hay aderezos de ensalada regados con zumo de limón.

Los efectos beneficiosos de los combinados de zanahoria

Los zumos de zanahoria son bebidas energéticas. Aportan calorías convertibles en energía. Dado que son estimulantes, es bueno tomarlos por la mañana o durante el día. Según las combinaciones, pueden ofrecer muchos beneficios fisiológicos específicos. El zumo de remolacha, por ejemplo, es un estupendo estimulante para el hígado, y el perejil purifica la sangre. La batata alcaliniza la corriente sanguínea y también es un mineralizante que contiene una enzima buena para los diabéticos. El zumo de repollo es estupendo para el estómago, calma las úlceras y los gases. Los pepinos estimulan los riñones y el perejil es diurético. El alto contenido de fluido alcalino de la sandía neutraliza los ácidos y limpia las toxinas de los riñones. Las espinacas estimulan la peristalsis. El áloe vera, que en realidad es una planta más que una verdura, es un magnífico purificador de la sangre y del sistema linfático.

Los zumos de verduras

Ahora dejamos el país de la dulzura y los colores brillantes para internarnos en el más serio mundo de las verduras. Aunque algunos combinados de zanahoria llevan algunas verduras, los zumos de verdura sólo llevan verdura. Son reparadores, estabilizadores y calmantes. Aportan energía por medio de la relajación y la integración somática. Si quieres un estimulante rápido, bebe zumo de zanahoria. Pero para obtener una energía más duradera, bebe zumo de verdura. Si estás exhausto, inquieto o un poco despistado, bebe verdura. El zumo de verdura es un zumo relajante que suele beberse por la noche. Es perfecto si te sientes agotado. Y pueden ser fuertes. Es lo más parecido que hay a un cóctel de salud. Imagínate cómo cambiaría la salud de nuestra sociedad si sirvieran estas bebidas en cualquier bar de la esquina. «¡Aquí un purificador de sangre, por favor! ¡Sin cayena!»

Combinados de zumos de verduras

Apio Espinacas

Apio Espinacas Tomate

Apio Espinacas Tomate Repollo

Apio Espinacas Tomate Repollo Eneldo

Apio Espinacas Tomate Repollo Eneldo Limón

Apio Espinacas Tomate Repollo Eneldo Limón Ajo

Apio Espinacas Tomate Repollo Eneldo Limón Ajo Jengibre

Apio Espinacas Tomate Repollo Eneldo Limón Ajo Jengibre Cayena

Apio Espinacas Tomate Repollo Eneldo Limón Ajo Jengibre Cayena y Tamarindo

¡Guau! Esto no es sólo un purificador de la sangre; es también un tonificador corporal, un tónico para los nervios, un alcalinizador, un elixir de minerales. Pero si aún no es suficientemente fuerte para ti, cambia la mezcla. Añádele o quítale verduras a la receta anterior y no te olvides de otras tan importantes como los rábanos, el perejil, el pimiento verde o los brotes de hojas como la alfalfa, la lechuga del alforfón y los girasoles verdes. ¿Y qué hay del tamarindo? Cierto que no es un zumo; pero es un líquido colado que no añadirá sólidos a tu organismo. Aquí lo hemos incluido como potenciador del sabor, como si fuera el aliño de tu ensalada líquida. El sodio que contiene ayuda a sobrellevar las ansias de azúcar, así que, si tomas demasiados combinados de zanahoria, ingerir bebidas de verdura te ayudará a regular el azúcar en sangre. Si prefieres, sustituye el tamarindo por el caldo mineral *Dr. Bronner's Mineral Broth*. Esta mezcla de verduras de tierra y mar del famoso fabricante de sopas no lleva sal añadida y es una rica fuente de vitaminas y minerales, y también de sabor. Tómalo o déjalo; la elección, es tuya. Pero pruébalo… puede que te guste.

¿Cuánto zumo de verdura deberías tomar? Mucho menos que de combinados de zanahoria o zumos de fruta. Estas bebidas son como los cócteles. Debes beberlas poco a poco, y 230 o 280 gramos deben durarte para un buen rato. Para una persona media, una bebida de éstas al día es suficiente. Si necesitas fuerza… pásate a la verdura.

Sobre el aguacate ~~~~~~~~~~~~~~~~~~

Debemos dar las gracias por todos los aguacates que hay en el mundo y por todo lo que han hecho para añadirle vitamina A, E, K, ácidos grasos esenciales, proteínas de calidad y un delicioso sabor a nuestras vidas. ¡Pero no se puede licuar! Igual que nuestro amigo el plátano, esta fruta/verdura no suelta agua. Para algunos, el aguacate es la esmeralda del reino de la fruta. Sostén esta gema como tu estrella guía y aguántate las ganas para disfrutarla al final de tu viaje de ayuno.

Remedios caseros a base de zumo

Contra resfriados	Zanahoria, limón, rábano, jengibre, ajo
Mitiga la alergia al polen	Zanahoria, apio, rábano, jengibre
Refuerza el sistema inmunológico	Zanahoria, apio, perejil, ajo
Refuerza la memoria	Zanahoria, perejil, espinacas, col rizada
Alivia el estrés	Zanahoria, apio, col, perejil, brécol, tomate
Alivia el dolor de cabeza	Zanahoria, apio, perejil, espinacas
Purifica	Manzana, remolacha, pepino, jengibre
Cóctel antioxidante	Zanahoria, naranja, pimiento verde, jengibre
Anticolesterol	Zanahoria, perejil, espinacas, ajo, tamarindo
Limpia el hígado	Zanahoria, manzana, remolacha, perejil
Para los cálculos	Limón (con la piel blanca interior incluida)
Laxante	Limón con agua caliente, nada más levantarte
Equilibra los electrolitos	Apio
Desintoxica el hígado	Hierba de trigo
Antiinflamatorio	Polvo de zumo de cebada forrajera
Digestivo	Piña, papaya
Artritis	Hierba de trigo, cualquier verdura

La clorofila, la curandera del interior de las verduras ~~~~~~

La clorofila es la sustancia química formada por las células de las plantas verdes, llamadas cloroplastos. Sin la clorofila, toda la vida animal en la tierra se habría extinguido. Sorprendentemente, esta «sangre vegetal» es estructuralmente similar a la hemina, la parte proteínica portadora de oxígeno de la hemoglobina. La diferencia principal entre ambas es que la clorofila está unida por un átomo de magnesio mientras que la hemina está unido por hierro. Unos conejos muy anémicos recuperaron rápidamente los niveles normales de sangre cuando se les administró clorofila.[1]

De alguna manera, el cuerpo es capaz de sustituir el hierro y reconstruir la sangre, proporcionándole con ello una transfusión al paciente anémico. Cuando se le administró zumo de hierba

**Clorofila
(C55H72MgN4O5)**

---

1. «Chlorophyll and Hemoglobin Regeneration After Hemmorrhage», de J. H. Hughes y A. L. Latner. *Journal of Psicology*. Vol. 86, núm. 388, 1936, Universidad de Liverpool.

de trigo a pacientes hospitalizados, la clorofila que contiene hizo que les subiera el nivel de plaquetas de la sangre.[2]

La clorofila ha sido famosa durante mucho tiempo por su facultad de curar heridas infectadas y ulceradas. «La actividad celular de los tejidos y su regeneración normal aumentan al usar clorofila[3]». Es una importante medicina para curar encías

Hem
(C34H32FeN404)

sangrantes, aftas, estomatitis ulcerosas epidémicas, piorreas, gingivitis e, incluso, dolores de garganta.

La clorofila tiene la habilidad única de ser absorbida directamente a través de las membranas mucosas, especialmente las de la nariz, garganta y el tracto digestivo. Constituye un gran limpiador bucal y un excelente dentífrico, especialmente cuando se utiliza en polvo. La habilidad única de la clorofila para matar las bacterias anaeróbicas (que producen mal olor), es la razón por la que camufla el olor del ajo, com-

---

2. La cantidad de plaquetas de Gary ascendió cada día durante siete días de 61.000 a 141.000 y la única cosa diferente que hicimos fue suministrarle hierba de trigo. Es algo increíble y está completamente documentado en los archivos del hospital. Dr. Leonard Smith, cirujano oncólogo.

3. *Chlorophyll, Natures's Green Magic,* Dr. Theodore Rudolph.

bate el mal olor y actúa en general como antiséptico. Estas bacterias viven sin aire y son destruidas por los agentes de la clorofila productores de oxígeno. El doctor Otto Warburg, ganador del premio Nobel de Fisiología y Medicina en 1931, concluyó que la falta de oxígeno a nivel celular es una de las principales causas subyacentes del cáncer. Hoy en día existe al menos una terapia alternativa contra el cáncer que bombardea los tumores con ozono, oxígeno altamente activo. A diferencia de muchas drogas, no se ha encontrado nunca que la clorofila sea tóxica en dosis alguna.

Las plantas verdes: la fuente de toda vida

Las plantas verdes, ya sea la hierba de trigo o el brécol, sacan su energía del sol. Los fotones de la luz solar son capturados por las células de las plantas verdes llamadas cloroplastos. Cuando los cloroplastos absorben la luz, estimulan a sus electrones. ¡Literalmente bailan bajo sol! La energía con la que están cargados está almacenada (como unas pilas) como ATP (trifosfato de adenosina). Entonces el ATP reduce el dióxido de carbono y el agua a oxígeno y carbohidratos. El oxígeno sale de la planta y llena la atmósfera con aire fresco. Los carbohidratos permanecen como alimento. Tanto el oxígeno como los carbohidratos se convierten en el sustento básico de la vida animal. Si los químicos fueran capaces de duplicar la fotosíntesis por medios artificiales tendríamos una infinita fuente energética: la energía solar.

La clorofila también puede protegernos contra las radiaciones de rayos X de bajo nivel de los equipos de los hospitales, de los televisores, de las pantallas de los ordenadores, de los transmisores y de los hornos microondas. No hay ningún área que esté totalmente libre de radiaciones. Unos experimentos con conejillos de indias llevados a cabo en 1950 demostraron que los individuos envenenados con radiaciones se recuperaban cuando se les incluían en la dieta verduras con un alto contenido en clorofila.[4] El ejército de los Estados Unidos repitió este experimento con brécol y alfalfa y obtuvo los mismos resultados.[5] Pero comer verduras no es una fuente de clorofila tan rica como lo es beber zumo de verduras, y el zumo con un mayor contenido de clorofila es el de hierba de trigo.

Qué tiene de especial la hierba de trigo

- Purifica y reconstituye la sangre
- Aumenta la producción de hemoglobina
- Alcaliniza la sangre
- Limpia el colon
- Purga el hígado
- Neutraliza las toxinas
- Oxigena las células
- Cura las heridas
- Es bacteriostática
- Desintoxica los fluidos celulares
- Cura las paredes intestinales
- Aumenta la actividad de las enzimas
- Quelata los metales pesados
- Sube el chi o kundalini

4. «The Influence of Diet on the Biological Effects Produced by Whole Body Irradiation.» M. Lourou, O. Lartigue, *Experientai*, 6:25, 1950.
5. *Further Studies on Reduction of X-irradiation of Guinea Pigs by Plant Materials.* Quartermaster Food and Container Institute for the Armed Forces Report. N. R. 12-61. Por D. H. Colloway, W. K. Calhoun y A. H. Munson. 1961.

La hierba de trigo, la reina de los zumos

La hierba de trigo proporciona un zumo que goza de gran popularidad y se puede encontrar en cualquiera de los bares de zumos y tiendas de alimentación natural que van creciendo. A diferencia de los zumos de verduras corrientes, se toma en dosis de 30 gramos. Para que te hagas una idea de su potencia, imagínate cómo sería beberse 30 gramos de zumo de ajo. ¡Guau!

Aunque esté dentro de la familia de 9.000 miembros en la que está también el césped de nuestros jardines, la hierba de trigo y su primo, la cebada forrajera, son cultivados especialmente por motivos nutricionales. Estas hierbas nutricionales son algunas de nuestras mejores fuentes de clorofila, pero ese es sólo el comienzo. Las hierbas contienen también muchos otros pigmentos importantes. Tienen carotinoides, como el alfa-caroteno y el famoso beta-caroteno, xantófilos y zeaxantín, por nombrar sólo unos pocos. Desgraciadamente no puedes verlos porque, tal como ocurre con las preciosas hojas otoñales, la clorofila supera a los otros pigmentos. Hay hasta 18.000 unidades de beta-caroteno por cada 30 gramos de hierba seca. Este precursor de la vitamina A tiene importantes propiedades potenciadoras del sistema inmunológico, incluyendo la producción de células T. Los altos niveles de este nutriente anti-oxidante se asocian con un reducido riesgo de cáncer y de enfermedades cardiovasculares.

Las hierbas también tienen abundantes vitamina E y antioxidantes. Tienen una forma soluble de vitamina E llamada a-tocoferol que tiene la habilidad de incrementar la producción de prolactina y de la hormona del crecimiento en la glándula pituitaria.[6] Las hierbas son ricas en vitamina K, la vitamina coagulante de la sangre. El zumo de hierba deja inactivas las sustancias mutagénicas que se encuentran en las sustancias químicas de uso agrario, los fertilizantes y los aditivos de la comida.[7]

El doctor T. Shibamoto de la Universidad de California descubrió un nuevo potente antioxidante en el zumo de cebada forrajera llamado 2"-0-GIV. Este nuevo isoflavonoide es soluble tanto en el agua como en las grasas y es muy estable.

Esto quiere decir que es capaz de penetrar a través de las membranas celulares acuosas y grasas para proteger totalmente a la célula de los dañinos efectos de la oxidación. Según Shibamoto, el 2"-0-GIV es más potente que las vitaminas E y C y, cuando se toma con ellas, los

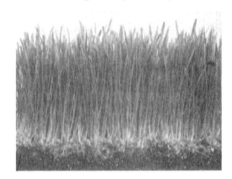

Cultivar hierba de trigo en casa es una de las formas de obtener sus altamente aclamados beneficios terapéuticos.

---

6. «Isolation of a Vitamin E Analog from a Green Barley Leaf Extract That Stimulates Release of Prolactin and Growth Hormone from Rat Anterior Pituitary Cells in Vitro.» Por M. Badamchian, B. Spangelo, Y. Bao, Y. Hagiwara, H. Ueyama y A. Goldstein. *Journal Nutrition and Biochemistry*. Vol. 5: 145-150. 1994.

7. *Effect on the Several Food Additives, Agricultural Chemicals and Carcinogen*. Por el Dr. Y. Hagiwara, presentado ante la 98ª Asamblea Anual de la Sociedad Farmacéutica de Japón, 5 de abril de 1978.

efectos son profundos.[8] La cebada forrajera tiene los tres nutrientes en buenas cantidades. El zumo de cebada forrajera tiene el potencial de prevenir la arteriosclerosis y es tan efectivo como la droga que se suele prescribir en el tratamiento de esta enfermedad, el Probutol, sin tener ninguno de sus indeseables efectos secundarios.[9]

La cebada y el trigo son fuentes abundantes y baratas de superóxido dismutase (SOD). Esta poderosa enzima antioxidante y antienvejecimiento, es un probado antiinflamatorio contra la artritis, los edemas, la gota y la bursitis. El doctor K. Kubota de la Universidad de Ciencias de Tokio también encontró dos glicoproteínas, D1G1 y P4D1, que funcionan junto con la SOD pero son más estables al calor. Las tres tienen una acción antiinflamatoria superior a la tan solicitada aspirina.[10]

Si no consigues encontrar zumo fresco de hierba, hay tiendas de alimentación natural por todo el país que venden zumo de hierba en polvo. Dado que se han hecho todo tipo

---

8. *A Novel Antioxidant Isolated from Young Green Barley Leaves,* Agricultural and Food Chemistry. Vol. 40, pp. 1135-1138. Julio, 1992.
9. «Studies on the Constituents of Green Juice from Young Barley Leaves Effect on Dietary Induced Hypercholesterolemia in Rats.» Por Y. Hagiwara, K. Kubota, S. Nonaka, H. Ohtake e Y. Sawada. *Journal of the Pharmaceutical Society of Japan*, vol. 105, núm. 11, 1985. *Inhibition of Malonaldehyde Formation by Antioxidants from 3 polyunsaturated fatty Acids.* Por J. Ogata, Y. Hagiwara, H. Hagiwara, T. Shibamoto. JAOCS. Vol. 73, núm. 5, 1996.
10. «Isolation of Potent Anti-inflammatory Protein from Barley Leaves», por K. Kubota, Y. Matsuoka, H. Seki. Facultad de Ciencias Farmacéuticas, Universidad de Ciencias de Tokio, Japón. *Japanese Journal of Inflammation*, vol. 3, núm. 4, 1983.

de investigaciones con estos polvos, se ha demostrado que son una forma viable, nutritiva y terapéutica del zumo. Los productos en polvo de zumos de hierbas se procesan cuidadosamente para preservar todas las enzimas posibles. El zumo de hierba de trigo recién exprimido es un auténtico caldo de enzimas, formado por agua, oxígeno, enzimas, proteínas, fotoquímicos, clorofila, carotenoides, ácidos grasos y oligominerales, todos luchando para revitalizarte. Tiene una carga tan fuerte que podrás sentirlo corriendo por tu cuerpo o erizándote el pelo de la nuca.

Cómo tomar hierba de trigo ～～～～～～～

Hacer zumo de hierba de trigo en casa requiere tener una licuadora casera para hierba de trigo. Sólo algunas licuadoras pueden extraer el zumo de su pulpa tan leñosa. El precio de estos aparatos oscila entre los 300 y los 600 euros, aunque las licuadoras manuales cuestan sólo alrededor de los 100 euros.

Los grandes usuarios se beben entre 100 y 350 gramos diarios, y también se lo introducen rectalmente mediante enemas e implantes[11] para obtener un efecto terapéutico mayor. Sin embargo, los principiantes comienzan con 30 gramos; 60 gramos diarios es la típica dosis de mantenimiento. Para los más forofos, cultivar su propia hierba es lo que les sale económicamente más a cuenta. Si no, las tiendas de salud y dietética de las principales ciudades ofrecen una hierba

---

11. Para obtener directrices sobre cómo ponerse enemas e implantes de hierba de trigo, véase *Wheatgrass, Nature's Finest Medicine*, por Steve Meyerowitz. 1999. 216 págs.

Un exprimidor manual de hierba.

espléndidamente cultivada por cultivadores profesionales, e incluso se pueden hacer pedidos que entregan a domicilio de un día para otro. Hay algunos centros profesionales de descanso que ofrecen programas en los cuales cultivan la hierba para ti y las licuadoras no paran en todo el día. Comprueba si en tu bar de zumos y en tu tienda de salud y dietética más cercanos venden zumo de hierbas al peso.

Si la intensa dulzura del sabor de la hierba es demasiado fuerte para ti, prueba a mezclarla con otras verduras. El apio es lo que mejor le va. Su contenido en sodio equilibra muy bien los azúcares de la hierba joven. Otros favoritos son el perejil, los brotes de alfalfa, las espinacas, la col rizada, el diente de león, los brotes de girasol, alforfón o trigo sarraceno y los brotes de guisantes. Que todo sea verdura. Añade también algo de ajo o jengibre. Verás que sabe como una ensalada líquida y que desaparece el característico sabor de la hierba.

Siempre que vayas a beber cualquier tipo de zumo de hierbas hazlo con el estómago vacío y espera entre 30 y 45 minutos antes de comer nada sólido. La hierba de trigo ejerce un fuerte efecto limpiador en el tracto digestivo. Es prácticamente un laxante verde. Si al principio tomas demasiada, puede que te veas corriendo hacia el baño. Es normal que a uno le den náuseas si bebe demasiada y es uno de los motivos por los que las raciones mayores de unos 125 gramos se ingieren rectalmente.

Ese fuerte efecto queda algo mitigado cuando se mezcla con el apio y otros zumos de verduras. Como cualquier otra cosa, cuando te acostumbras puedes tomar más cantidad sin que te afecte. Lo que produce este efecto es algo más que la mera clorofila, como demuestra que beber clorofila de alfalfa embotellada no causa diarrea. La hierba de trigo fresco es un elixir de enzimas de alta frecuencia que pone en marcha a tu organismo con mayor fuerza que otros zumos. Incluso superalimentos como las algas azules-verdes no llegan a tener la carga energética o *chi* del zumo de hierba de trigo recién exprimido.

El secreto de disfrutar bebiendo zumo de hierba de trigo es incrementar gradualmente la dosis a medida que uno se va acostumbrando gradualmente a ello. Aumenta tu dosis 30 gramos cada pocos días o cada semana. Bebe sólo lo que te vaya bien. Si estás combatiendo una enfermedad grave, piensa en hacer una visita a alguno de los centros de salud con terapia basada en la hierba de trigo y seguir su programa.

El color de tu zumo (y de tu comida) ～～～～

Podrían decirse muchas cosas sobre las características nutricionales individuales de cada una de las maravillosas frutas y verduras, pero realmente es difícil recordar todo lo que aportan cada una de ellas. Una manera de simplificar las propiedades curativas de estos alimentos y zumos es diseñar tus bebidas y comidas según el color.

Tipos de zumos

La **COMIDA ROJA** acelera la circulación, crea fuego, energía *yang* (medicina china) y calienta el cuerpo, incluidas las manos y los pies. Los tomates, las cerezas, la lombarda, el pimiento rojo, las guindillas, los arándanos, la sandía, los rábanos, el trigo y el centeno son algunos ejemplos.

La **COMIDA NARANJA** es antiespasmódica y resulta excelente contra los dolores y calambres. Ayuda a fortalecer los pulmones en ambientes contaminados. Emocionalmente, hace que broten en ti la alegría y la expansividad. Promueve la vitalidad y la claridad mental. En esta categoría tenemos las naranjas, las zanahorias, los albaricoques, la calabaza y las semillas de sésamo y calabaza.

La **COMIDA AMARILLA** es un motor estimulante, que hace que vayas más deprisa por las mañanas. Fortalece los nervios, la digestión y ayuda a combatir el estreñimiento. El limón, la lima, la piña, el pomelo, la manzana, el melocotón, el plátano, la papaya, el mango, la calabaza amarilla, el maíz y la mantequilla son algunos de estos alimentos.

La **COMIDA VERDE** es un purificador de la sangre, un bactericida y un tranquilizante natural. Nutre. Son todas las verduras y brotes de hojas, hierba de trigo, aguacate, etcétera.

La **COMIDA AZUL** es apropiada para los dolores de cabeza y para el trabajo mental y espiritual. Es *yin* y relajante. Entre este tipo de alimentos están las moras, la ciruela, la uva, la patata, el apio, la chirivía, los espárragos y las nueces.

Cómo prolongar la vida del zumo fresco 〰〰〰

Siempre es mejor beberse el zumo recién exprimido. Pero el zumo fresco es altamente perecedero. Cualquier contacto que tenga con la luz, el calor y el aire, incluso a temperatura ambiente, inicia el proceso de oxidación. Así que no es más que una cuestión de tiempo el que tu delicioso zumo se vuelva ácido. Siendo realistas, no siempre podemos hacer zumo cuando lo necesitamos y, si se bebe zumo a menudo, como ocurre durante un ayuno, este proceso se convierte en una difícil tarea.

La respuesta a ello es el almacenamiento, y «frío» es la palabra clave en lo referente a ello. Puedes preparar zumo para todo el día o incluso para un par de días, si eres capaz de mantenerlo suficientemente frío. El objetivo es mantener el zumo lo más frío posible, pero sin llegar a congelarlo. Esto quiere decir que debe estar entre los 2° C y los 3° C.

Utiliza para guardarlo una botella esterilizada de cristal oscuro previamente enfriada. Llénala de zumo hasta arriba para reducir la presencia de aire y, en consecuencia, la oxidación. Si mantienes el envase cerrado se conservará durante unos tres días. Una vez que empieces a abrir y a cerrar el envase, echándote un poco de zumo y volviendo a meterlo en la nevera, el contacto con el aire, la luz y el calor iniciará la oxidación, que continuará, aunque más lentamente, incluso dentro de la nevera. Cuanto más abras y cierres la botella, más rápido se deteriorará el zumo.

El mejor método de almacenamiento cuando se está de viaje es un termo. Los termos están diseñados para conservar el calor o el frío. Así que empieza por preenfriar tu termo. Luego llénalo con el zumo que también habrás enfriado previamente a 2° C. El termo mantendrá aproximadamente esta temperatura durante unas 24 horas, incluso fuera de la nevera. Los termos son muy prácticos para llevar la comida de ayuno al trabajo. Simplemente recuerda que, cuanto más abras y cierres el termo, más subirá la temperatura del zumo dentro de él y más rápido se estropeará. No obstante, la facilidad de transporte y la comodidad que supone el almacenaje en un termo lo convierten en un fantástico método. Definitivamente, la mejor manera de prolongar la vida de tu zumo fresco es guardar el termo dentro de la nevera.

¡Pero no todos los termos son iguales! Puede que estén hechos de cristal o de acero inoxidable. Algunos llevan un aislante de mejor calidad que otros. Acércate a las tiendas a echar un vistazo o experimenta por tu cuenta para ver cuántas horas dura el zumo. Deja que sea tu paladar el que decida. El zumo pasado, una vez que se ha oxidado, te dejará un «mordisco» o cosquilleo en la lengua. Sabrá amargo u olerá mal. Puede que incluso se haya cuajado.

La licuadora en sí también juega un papel importante. Una vez más, no todos los aparatos son iguales. Las licuadoras de mayor calidad son capaces de extraer más nutrientes vivos, enzimas y antioxidantes, que actúan como conservantes, mantienen el zumo estable y prolongan su vida.

El zumo congelado no es preferible al recién hecho, pero aun así es otra alternativa. El proceso de congelación y descongelación destruye algunas vitaminas frágiles, enzimas y componentes celulares. Sin embargo, todo es relativo. No llega a ser tan destructivo como la pasteurización, el envasado o la irradiación. El zumo congelado sigue sabiendo bien y es mejor que comprar zumo embotellado. Está sólo un paso por debajo de ser zumo totalmente fresco y vivo. No obstante, si ese zumo va a constituir toda tu comida, como ocurre durante un ayuno, debes tomarlo en el mejor estado posible. Los ayunadores deben intentar coger todas las vitaminas posibles. Congélalo sólo si tienes más zumo del que vayas a poder beberte, o si las circunstancias hacen que sea la mejor alternativa.

Cómo limpiar las frutas y verduras ~~~~~~

Si vas a tomarte todas las molestias que implica ayunar y elaborar cuidadosamente tu zumo y conservarlo, querrás asegurarte de que las verduras no llevan pesticidas, parásitos ni bacterias. Desgraciadamente, puede que no sea fácil. Mientras que es bastante fácil encontrar zanahorias orgánicas, las espinacas, el apio, las remolachas, los pepinos y las frutas orgánicas son más difíciles de conseguir, por no hablar de lo mucho más caras que son. Si lavas los productos adecuadamente, podrás quitar algunos de los productos químicos de uso agrario y, virtualmente, las bacterias y parásitos que hay incluso en los productos orgánicos.

El más controvertido de los sistemas de lavado es el baño de clorox. Sí, controvertido, pero muy efectivo. Incluso muchos nutricionistas y doctores naturópatas lo recomiendan. Desarrollado por el doctor Hazel Parcells de Alburquerque, Nuevo México, esta técnica funciona gracias no sólo a la agresiva acción oxidante del clorox, sino también, según Parcells, debido a sus propiedades electromagnéticas. Además de destruir los parásitos y sus huevas, también intensifica el color y el sabor y mejora la frescura. Incluso algunos sostienen que elimina la radiación y el plomo. Parece ser que el clorox funciona como un agente quelatoso, extrayendo los pesticidas y contaminantes de los productos con los que entra en contacto. Incluso los que trabajan con pesticidas lo usan para limpiar su equipo. Es cierto que no es un amigo del entorno y que el consumo directo de clorox se considera un veneno. Pero es tan volátil que se convierte rápidamente en gas al contacto con el aire. Así que, si decides usarlo, aclara bien las verduras y deja que se sequen al aire. Si queda clorox, lo olerás. Si no, es que se ha perdido en el aire, dejándote sólo comida pura.

Cómo quitar los pesticidas de los alimentos

Baño de limón	Baño de ácido clorhídrico
Llena tu fregadero con agua fría, añádele cuatro cucharadas de sal y el zumo de un limón. Sumerge las frutas y verduras durante diez minutos y luego acláralas bajo el agua fría. Puedes sustituir el limón por 1/4 de taza de vinagre blanco.	Compra ácido clorhídrico en tu droguería y echa 30 gramos en 3 litros de agua. Es lo equivalente a una solución de un 1 por 100. Sumerge las frutas y verduras durante diez minutos y luego acláralas.
Baño de clorox	**Baño de agua hirviendo**
Echa una cucharadita de lejía de clorox por cada 4 litros de agua. Deja que los alimentos reposen en la solución durante cinco o diez minutos, luego escúrrelos y sumérgelos de nuevo en agua fresca durante otros cinco minutos. Si todavía hay olor a clorox después de aclararlos, acláralos una vez más y deja que se sequen al aire antes de consumirlos.	Este método es válido para todas las verduras menos para las más delicadas. Sumerge las verduras en agua hirviendo durante sólo cinco o diez segundos. Eso es todo lo que hace falta para matar los gérmenes. Sácalas del agua con unas tenazas. Ésta es asimismo una buena manera de quitar las ceras de las frutas y verduras.

Los brotes son un alimento orgánico alternativo. No sólo los que salen de las judías guardadas en un tarro, sino los brotes de auténtica horticultura, cultivados en aparatos profesionales que producen diferentes variedades y kilos por semana.

Los brotes son 100 por 100 orgánicos. No te hará falta que lleven un certificado para comprobarlo porque tú serás el granjero. Crecen en cantidad abundante, lo que es perfecto para hacer zumo. ¿Dónde más podrías conseguir grandes cantidades de alimento orgánico a sólo 13 céntimos el kilo? ¡Cultiva los tuyos propios! No es difícil, y los diferentes sabores te sorprenderán. Alforfón, girasol, alfalfa, ajo, cebolla, repollo, guisantes, brécol y rábanos, por nombrar unos cuantos. Úsalos como sustitutos de las verduras corrientes. Licúalos junto con zanahorias u otras verduras. Comer brotes resulta especialmente económico y nutritivo durante un ayuno, pero además es un complemento valioso para tu cocina en cualquier momento del año.

Síntomas que se han de vigilar

La luz solar es esencial para la vida en el planeta y para nuestra salud. Sin embargo, recibir una cantidad excesiva puede producir cáncer. De la misma forma, alimentarse con zumos es una poderosa herramienta de salud, pero es conveniente que no olvides las siguientes recomendaciones y advertencias: no te atiborres de zumo, igual que no te atiborrarías de comida. Si tienes un apetito voraz, puede que sea el momento de acabar con el ayuno o de pasarte a zumos no dulces. No te preocupes si tu orina o deposiciones se oscurecen debido al pigmento rojo de la remolacha o al verde de la hierba de trigo. La piel se te puede poner amarilla/naranja de tomar demasiado zumo de zanahoria. Reduce la dosis o pásate a los zumos verdes. Vigila las bayas y otros alimentos que puedan causarte alergia. Los alimentos que producen alergia también dan zumos que producen alergia. Obsérvate a ti mismo para vigilar posibles reacciones alérgicas, tales como picores de ojos o de piel.

La hierba de trigo no es un alimento que cause tanta alergia como el trigo. La hierba no tiene ninguna de las propiedades alérgicas glutinosas del grano. Sin embargo, si bebes demasiada y demasiado pronto, puede que experimentes una excitación sintomática debido al acelerado ritmo de purificación. Sigue con el programa, pero reduce la dosis y la frecuencia para mejorar los síntomas. Ten cuidado de no confundir los síntomas de eliminación con los síntomas alérgicos. La gente tiende a eliminar toxinas por las mismas zonas en las que luego tienen problemas crónicos. A aquellos con tendencia a las erupciones cutáneas, por ejemplo, probablemente se les agravarán los síntomas con un programa intensivo de terapia de zumos. Los pacientes con un bajo nivel de azúcar en sangre (hipoglucemia), diabetes, aftas, parásitos u otras condiciones sensibles al azúcar, deberían evitar los zumos dulces igual que evitan los alimentos dulces.

El ansia de tomar zumos de zanahoria, naranja, sandía, uva y demás zumos dulces es a menudo indicativo de una condición sensible al azúcar. Debes equilibrar el grado de purificación con el grado de eliminación. Dado que no se produce una eliminación total por el tracto digestivo, son recomendables la hidroterapia de colon y/o los enemas. Procura expandir además las otras vías de eliminación. Por ejemplo, hazlo con los pulmones mediante un ejercicio aeróbico; con los riñones, con agua, y con la piel, mediante el sol, el aire, los baños y los masajes.

Pero éste no es un proceso inocuo. Piensa que generalmente es toda una vida de dieta errónea y malas costumbres, como el estrés y el tabaco, lo que ha generado estas condiciones. Una parte del proceso de recuperación consiste en cierta medida en «sacar a palos» estos males.

6

Liquidarianismo

Cuando se ayuna, hay más líquidos aparte del agua y los zumos entre los que poder elegir cuál tomar. En una dieta liquidariana se puede beber cualquier líquido colado sin sólidos. Esto incluye las infusiones, los caldos de verduras, las leches de frutos secos y otros líquidos limpios de comida.

Las infusiones

Antes de nada, aclaremos el término. Las infusiones o tés de hierbas no son en absoluto auténticos tés, porque el té está técnicamente hecho de ramas del árbol del té, un árbol de hoja perenne, autóctono de Asia Oriental. Algunos tés corrientes de rama son el *orange pekoe*, java, el té inglés, el té de jazmín y el de Ceilán. Los tés de hierbas proceden de las plantas verdes y de las hierbas, pero el término se ha hecho extensivo a la corteza de árbol, la madreselva y los arbustos. Ofrecen una variedad de especies conocidas por sus usos culinarios y medicinales.

Las infusiones se hacen con hierbas cortadas, frescas o secas. La descripción más adecuada sería llamarlas caldos de hierbas. Los tés suelen tener un color oscuro y contener tanino y cafeína. El tanino es un astringente y un ácido y se usa para transformar las pieles de los animales en cuero; se encuentra además en el café y las avellanas. Las hojas de té contienen de hecho más cafeína que los granos de café, pero como se necesita más café para hacer una taza, al final resultan más o menos equivalentes en el contenido de cafeína por taza. Es cierto, sin embargo, que las infusiones de hierbas no tienen cafeína ni tanino, y las hay de muchos sabores diferentes que pueden beberse calientes o frías. La verdadera función de las infusiones es aportar sus beneficios terapéuticos.

Bebe cuantas infusiones quieras durante tu ayuno y en la cantidad que desees. Algunas infusiones son nutritivas, es decir, que aportan minerales o vitaminas. La consuelda, por ejemplo, aporta calcio. Algunas infusiones son estimulantes cerebrales o digestivos y otras ayudan a quitar las náuseas, facilitan las deposiciones, la expulsión de gases, el apetito, etcétera. Échale un vistazo a la tabla de infusiones y disfruta de ellas.

El jengibre y la salvia provocan sudor, mediante el cual se liberan toxinas y baja la fiebre. Échalos en el agua cuando te des un baño o en el té. El té de jengibre y miel es una infusión deliciosa que es eficaz respecto a una gran variedad de problemas estomacales. El ginseng es un tónico general que fortalece y tonifica el estómago, promueve el apetito y mantiene el calor en el cuerpo. El vinagre estimula el ácido clor-

Tabla de propiedades de las infusiones

Expulsan los gases		Estimulantes
Anís	Perejil	Menta
Alcaravea	Eneldo	Menta verde
Hinojo	Jengibre	Albahaca
Quitan el apetito	**Estimulan la digestión**	**Estimulan las deposiciones**
Tomillo	Canela	Cáscara sagrada
Hinojo	Clavo	Regaliz
Hierba de trigo	Nuez moscada	
Tiamina	**Riboflavina**	**Niacina**
Fenugreco	Pimentón	Alfalfa
Ajo	Fenugreco	Bardana
Perejil	Perejil	Fenugreco
Nébeda	Ajo	Perejil
Alga marina	Alga marina	Pimentón
Dulse	Dulse	Ajo
Hojas de frambuesa		Dulse
Vitamina C	**Vitamina A**	**Vitamina B12**
Consuelda	Fenugreco	Alfalfa
Hinojo	Consuelda	Alga marina
Escaramujo	Pimentón	Dulse
Orégano	Diente de león	Consuelda
Fárfara	Nébeda	
Bayas de saúco		
Hojas de fresa		
Calcio	**Potasio**	**Magnesio**
Fárfara	Alga marina	Verbasco
Diente de león	Fárfara	Diente de león
Cola de caballo	Consuelda	Alga marina
Ortiga mayor	Menta	Menta
Hinojo	Milenrama	Perejil
Camomila	Ajo	Ajo
Alga marina	Camomila	
Hierro		
Perejil	Ortiga mayor	Hoja de frambueso
Hinojo	Raíz bardana	Ajo
Verbasco		

hídrico. La miel y el vinagre equilibran el pH del flujo sanguíneo. El regaliz es un laxante ligero. La cáscara sagrada también es un laxante y un estimulante intestinal y hepático. El limón y la miel limpian el hígado y purgan la vesícula. El marrubio es bueno para las gargantas irritadas. La cayena estimula la circulación. La sidra de manzana caliente con palitos de canela y nuez moscada es una fantástica mezcla que estimula la digestión. El ajo purifica la sangre y ayuda a combatir las infecciones. El agua de cebada acaba con la diarrea, igual que lo hacen el arrayán brabántico, la consuelda, la milenrama y el sasafrás. La camomila tranquiliza los nervios y calma el estómago.

Las hierbas hacen muchas más cosas a parte de éstas, pero no podemos analizarlas todas aquí. Consulta un libro de hierbas para aprender más acerca de las infusiones que bebes. Las hierbas pueden ser una bebida sana y refrescante durante un ayuno.

Además de las infusiones, existen otras bebidas útiles, como las aguas de cereales. El arroz sumergido en agua durante 24 horas desprende su contenido de minerales y vitaminas en el agua. Utiliza tres cucharadas de cereal por cada litro de agua. Asegúrate de escurrirla antes de beberla.

La cebada, el trigo y el mijo dan también excelentes brebajes de cereal. Hay una bebida conocida como «rejuvelac», que está hecha con granos tiernos de trigo puestos en remojo durante tres días o hasta que fermenten. La fermentación añade bacterias y enzimas buenas al «caldo». Espera a que broten los granos tiernos primero, lo que los hará todavía más nutritivos y, de nuevo, cuélalos. Otro tipo de agua de cereales es la que está hecha de cebada tostada con achicoria, que es conocida como café de hierbas. Durante el ayuno, está permitido que tomes sustitutos del café, aunque también depende de los ingredientes que lleven.

Caldos de verduras

¿Recuerdas todo esa deliciosa agua que ha quedado en la cazuela después de hervir las verduras? No la tires. Dásela a un ayunador. En las tiendas de salud se pueden comprar caldos de verduras en polvo para hacer un caldo instantáneo. Lee los ingredientes. Éstos deberían ser verduras en polvo, proteína de soja y, algunas veces, levadura. Algunas marcas que gozan de popularidad son *Arcadia* y *Vogue*. Simplemente caliéntalo y disfruta, pero no te olvides de colar los posos. Si prefieres hacerlo en casa, coge unas patatas, zanahoria, ajo, cebolla, chirivía, perejil, hojas de zanahoria, apio, cebolletas, hierbas, miso, algas como alga marina y dulse, y cocínalo todo en una olla grande con agua en abundancia. Dale la sopa a tu familia y guárdate para ti el caldo y paladéalo. También puedes hacer un caldo casero rápido con una cucharadita de pasta de miso, media cucharadita de polvo de cebolla, una pizca de ajo y otra de pimienta de cayena. Añade la cayena después de hervir el caldo y cuélalo antes de tomarlo.

Leches de frutos secos

Si al principio del ayuno te entran ganas de tomar comida y tienes problemas para controlarte el hambre, o si estás siguiendo un régimen liquidariano largo (de más de treinta días), las leches de frutos secos son lo tuyo. Estas bebidas con un alto contenido de proteínas son ricas y perfectas cuando hay ansia o necesidad de proteínas. No deberían utilizarse con regularidad durante los ayunos cortos porque son demasiado concentradas y podrían aumentar el deseo de tomar comida sólida. Pero insistimos en que son perfectas al principio para adaptarse a un ayuno, para sobrellevar uno largo y para salir de él.

Las leches pueden estar hechas de almendras, semillas de girasol y sésamo. Sólo tienes que mezclar una taza de semillas con tres tazas y media de agua. Si quieres añade una cucharadita de miel o de sirope de arce. O usa sólo una taza de agua y dos tazas y media de zumo de manzana. Como en el resto de los casos, hay que colar bien estas leches; después de hacerlo queda una buena cantidad de frutos secos remanente que puedes guardar en el congelador o servírsela a tu familia en ensaladas o postres.

La leche de coco es el agua dulce que hay dentro del coco. Está deliciosa y es nutritiva, así que disfruta de ella cuando puedas.

Una precaución: no hagas leche de anacardos. Los anacardos no contienen el mismo tipo de fibra que otros frutos secos y no colarán bien. La mezcla de anacardos con agua producirá un puré de anacardos con todo el contenido sólido en él y, si lo bebes, creará una brecha en tu ayuno.

Estas leches de frutos secos tienen un alto contenido en proteínas y grasas, por lo que son muy alimenticias y deberían tomarse juiciosamente. Tomar bebidas con muchas proteínas durante un ayuno disminuye el grado de purificación. Consúmelas sólo si te hacen falta calorías y alimento durante los períodos difíciles. No confundas estas leches con los productos lácteos. No debería tomarse ningún tipo de producto lácteo durante un régimen liquidariano. Tanto la leche desnatada, como el kéfir (leche fermentada) y la leche cuajada detienen el proceso de limpieza del cuerpo.

Otras bebidas proteínicas

Insistimos en que, si te hacen falta proteínas de vez en cuando, hay otras bebidas que puedes tomar además o en lugar de las leches de frutos secos. Se trata de superalimentos, nutritivamente ricos y altamente densos. No son alimentos hechos o preparados por el hombre, sino naturales, cogidos de las plantas y de otros seres vivos.

Dos de estos alimentos son la espirulina y la clorela, dos microalgas que crecen en lagos y que son los dos alimentos conocidos más ricos en proteínas y vitamina B12. La espirulina tiene un 69 por 100 de proteínas y contiene dos veces y media más vitamina B12 que el hígado. La clorela tiene más clorofila que cualquier alimento de tierra o de mar y es un poderoso purificador de la sangre. Estos micro vegetales marinos son recogidos frescos, siguen un cuidadoso proceso de secado y se preparan para el consumo en polvo o en pastillas. Se puede mezclar una cucharada del polvo con zumo de manzana o zanahoria ya que se disuelve fácilmente. No es necesario colarlo después. Algunos deciden ayunar solamente a base de estos alimentos. Ambos quitan el apetito.

La levadura nutricional es un producto de microorganismos exactamente igual que la cerveza, el vino y el pan con levadura. Contiene todos los minerales, oligoelementos, ARN, ADN, vitamina B y un 50 por 100 de proteínas. Algunas personas son alérgicas a la levadura. Si tú eres una de ellas, no la tomes. La levadura nutricional se disuelve fácilmente en los zumos y no hay que colarlos. Igual que en el caso anterior, tómala con zumo de manzana o de zanahoria.

La leche de soja es otra opción si necesitas tomar una bebida rica. Se obtiene hirviendo habas de soja y colando el agua. No difiere mucho del agua de arroz, con la salvedad de que se vende en las tiendas. Existen muchas marcas, y algunas están pasteurizadas y homogeneizadas para darle la textura de la leche, pero ésa no es la variedad que debes tomar. Igual que los zumos embotellados, son alimentos muertos y, en este caso, además, difíciles de digerir. La leche fresca de soja es muy sana, aunque muy difícil de digerir para algunos. Bébela sólo si te sienta bien.

La leche de arroz, fabricada por *Rice Dream*, es una alternativa sin soja. Puede que sea más fácil de digerir que ésta, pero aun así es un alimento complejo y deberías probarlo o beberlo sólo diluido. Hoy en día ya se vende leche de almendra en las tiendas, y es bastante ligera.

Ninguna de estas bebidas es un «alimento vivo». Tómalas, pues, ocasionalmente y con criterio.

El mito de la proteína

De todos los cientos de elementos esenciales que existen para la salud, las proteínas son las que tienen mejor prensa de todos. Son una celebridad entre los nutrientes y es la primera pregunta que te harán si eres vegetariano o estás haciendo un ayuno.

No obstante, las verdaderas estrellas de la salud son el oxígeno y el agua.

Puedes vivir sin ingerir proteínas durante prolongados períodos de tiempo, pero no sin aire ni agua. ¿Cuán necesaria es la proteína? Tu cuerpo la utiliza en sus tareas diarias de fabricación de tejidos y células. Ésta es la fase constructora del metabolismo conocida como anabolismo. Sin embargo, durante una dieta, el metabolismo del cuerpo cambia de velocidad y aumenta la labor de descomposición y limpieza, el catabolismo; para ello no necesitarás la gran cantidad de proteínas que normalmente te hace falta. Piensa en la diferencia entre construir una casa y limpiarla. La proteína es como la madera: el material esencial de la construcción, pero no es necesaria durante la limpieza.

Las proteínas están en cada planta y cada animal. Incluso el zumo de zanahoria tiene proteínas. Por supuesto, algunos alimentos tienen más proteínas que otros. Pero es un error pensar que los alimentos ricos en proteínas son nuestra única fuente de ellas. Cierto, algunas de las recomendaciones que hacemos para las recetas liquidarianas, tales como añadir a tus zumos una cucharada de polvo de hierba de trigo o espirulina, o beber leche de almendra, incrementarán tu ingestión de proteínas durante el ayuno, pero son sólo para tomarlas de vez en cuando. Ayunar es un ciclo de limpieza, estabilización y descanso. Estas recetas liquidarianas, con su aporte extra de proteínas, ayudan durante las épocas de actividad y le permiten a uno continuar con el ayuno más tiempo. Los beneficios que se obtienen con ello hacen que merezca la pena. Los que ayunan a base de agua no pueden hacerlo durante tanto tiempo y no pueden mantener un estilo de vida normal. El proceso de ayuno es, generalmente, un período de tiempo en el que hay que evitar el consumo extra de proteínas, ya que frena la purificación.

Sin embargo, si notas que tienes deseos constantes de consumir proteínas, tu cuerpo te indica que está listo para terminar el ayuno. Los ciclos de limpieza, estabilización y limpieza se han repetido suficientes veces y tu cuerpo necesita reconstruirse. Nunca se puede predeterminar la duración exacta del ayuno. Debes escuchar a tu cuerpo y acomodarte a sus necesidades. La gran llamada del hambre ha vuelto y la ingesta de proteínas debería empezar a aumentar. Pero no te obsesiones con las proteínas durante tu dieta. Normalmente las necesitas al entrar en el ayuno y al salir de él, pero no demasiado entre medias. Escucha a tu cuerpo y no a los temores de tus amigos.

Vinagre de sidra de manzana y otras bebidas

Hipócrates, el «Padre de la Medicina», utilizaba vinagre natural de sidra de manzana en el 400 a.C. Los antiguos griegos y romanos tenían vasijas de vinagre para combatir las enfermedades. Incluso Cristóbal Colón se llevó barriles de vinagre en su viaje a América para evitar el escorbuto y luchar contra los gérmenes. Pero la versión moderna de esta poderosa bebida antibiótica y antiséptica natural está destilada, refinada, filtrada y pasteurizada, por lo que le han quitado por completo sus propiedades salutíferas.

Usa sólo el vinagre turbio, crudo y sin filtrar, preparado con manzanas orgánicas. Debería tener un color dorado y mostrar visiblemente las telarañas de los bífidus activos que aparecen durante el proceso natural de fermentación. Estas bacterias beneficiosas y la acidez natural de esta sana bebida actúan como un poderoso limpiador intestinal, a la vez que ayudan a mantener el crucial equilibrio ácido-alcalino corporal. Aunque el zumo de limón también ayuda a equilibrar el pH, no contiene las bacterias beneficiosas para combatir a los gérmenes y recubrir las paredes del intestino. Una dieta que contenga dos o tres bebidas diarias con vinagre de sidra de manzana conseguirá disolver la formación de cristales ácidos en los tejidos y articulaciones, que causan la rigidez muscular propia de la vejez que suele manifestarse en artritis y en dolores musculares y de articulaciones. El vinagre también es una excelente fuente de potasio de calidad. Si te gusta, puedes probar a ayunar durante unos días haciendo del vinagre tu bebida principal. Agita bien la botella de vinagre y añádele aproximadamente dos cucharadas a un vaso de agua. Ajusta la dosis a tu gusto. Bébelo, con el estómago vacío, por la mañana y por la noche o cada pocas horas.

Otra bebida ácida es el ácido ascórbico: polvo de vitamina C. Simplemente disuélvelo en agua y bébetelo.

La vitamina C juega varios papeles en el sistema inmunológico además de los básicos: sanar heridas y arreglar huesos. La forma ascórbica de esta vitamina utiliza minerales como el calcio, el magnesio y el zinc como portadores de la vitamina. La bebida es ligeramente gaseosa, como el Alka-Seltzer, pero es pura vitamina C. Añádele un chorrito de limón o de lima y obtendrás tu propio refresco natural.

Limpiadores del colon

Los limpiadores del colon son bebidas que gozan de popularidad. Forman una masa fluida que va barriendo todo el tracto intestinal, empujando a su paso la comida atascada en algunas zonas. La masa se expande a medida que avanza y va llenando todos los huecos y recovecos, llevándose consigo viejos restos alimenticios, funcionando como una escoba intestinal. La semilla de psilio es el producto aglutinante más popular. Absorbe y se expande hasta diez o quince veces su peso en agua. Otras semillas aglutinantes similares son el flax y la chía. Todas forman parte de la familia de las semillas gelatinosas y realmente forman un gel espeso cuando se mojan.

Estas semillas, o el polvo de ellas, suelen mezclarse con zumo y, después de beberlo, hay que ingerir otro vaso o dos más de zumo o bien de agua. Esto es importante, porque si se toma una cantidad de agua insuficiente, el gel generado por la mezcla de semillas y líquido se endurecerá y será muy difícil que pase por el intestino.

En las farmacias, este tipo de bebida se conoce genéricamente por el nombre de una de las marcas que lo fabrica, *Metamucil*, y su descripción es de laxante de fibra natural. La fibra que contiene es suave y muy diferente de la del salvado. El problema de las marcas que se venden en las farmacias es que siempre llevan azúcar. Las que venden en las tiendas de salud y dietética, no.

Hay dos versiones de las semillas de psilio: las cáscaras y la carne. Las cáscaras son como el salvado y ásperas. La carne es lo que queda de la semilla pelada y es más blanda y fácil de tomar. Ninguna de las dos provoca molestias. La carne, sin embargo, recubre cualquier otro alimento con el que se tome y lo impermeabiliza frente a los fluidos digestivos. Así que no tomes nada nutricionalmente valioso junto con la bebida de psilio. Tómala por las mañanas, antes de las comidas o por la noche, al menos una hora y media antes de acostarte.

Esta bebida resulta útil durante un ayuno porque actúa como un lavado de colon interno. Barre todo el tracto intestinal limpiándolo a su paso. Si quieres hacerte un limpiador de colon de psilio, echa una cucharadita (de las de café) de semillas de psilio en polvo en un vaso y mézclala con zumo. No uses para esto zumo de fruta o de verdura recién hecho. El alimento nutritivo de estas bebidas orgánicas quedará atrapado en el mucílago y, por tanto, no podrás asimilarlo. ¡Este es uno de los pocos momentos en los que es preferible utilizar zumo embotellado! Mezcla la bebida en la batidora y añádele un plátano para darle sabor. Durante el ayuno puedes tomar entre tres y seis bebidas al día. Empieza con una y ve aumentando sólo cuando veas que te sienta bien. Esta bebida llena mucho y produce dilatación del abdomen, así que no te preocupes cuando ocurra. Es sólo un montón de fibra sana. Si eres principiante, esta bebida puede hacerte el ayuno más fácil, ya que te dará la sensación de tener el estómago lleno.

La semilla de psilio puede ser cara y no a todo el mundo le resulta su bebida favorita. Si lo prefieres, puedes hacer por tu cuenta una bebida menos cara con chía y flax y que tiene un sabor rico. Mezcla una cucharada de chía y otra de flax con dos tazas de zumo de manzana y medio plátano. Mézclalo todo a fondo. Si la bebida está muy espesa, añádele más agua o zumo. Esta bebida tiene la ventaja de que aprovecha tanto la cáscara como la carne de la semilla, sabe mejor que el psilio y cuesta menos.

Sea cual sea la bebida que elijas, sigue el régimen entre tres y seis días antes de parar. Descansa durante dos o tres días y luego repite. Verás que tus deposiciones son largas y compactas y que la eliminación es bastante profunda. Algunos preparados añaden hierbas a la mezcla o bentonita, un tipo de arcilla, lo que ayuda a arrastrar las toxinas de los intestinos y estimula la peristalsis.

Cuándo usar las vitaminas y las hierbas

Ha quedado claro que el ayuno, incluso el ayuno liquidariano, implica que, bebamos lo que bebamos, no debemos ingerir alimento sólido alguno. Esto supone que, desde el principio, sólo podemos tomar complementos dietéticos que se disuelvan por completo, y excluye las cápsulas de gelatina. Pero antes de empezar a tomar vitamina C y otras vitaminas solubles, debemos determinar el tipo de ayuno que vamos a seguir y las metas que queremos conseguir.

Básicamente, el ayuno se hace para relajar todo el tracto intestinal y equilibrar nuestra química natural sin la influencia de alimentos, etcétera. Cuando empezamos a tomar vitaminas, interferimos en ese equilibrio natural. No obstante, si tu intención es purificarte o trabajar sobre algún problema concreto de salud, tal vez quieras añadir ciertas hierbas o vitaminas que aceleren ese proceso. En ese caso, sería una ayuda para el ayuno, no interferiría con él, dado que en este momento tu meta es sanarte, no ayunar. Ayunar es el medio para conseguir tu objetivo y, si tienes que adaptar las normas ligeramente para obtener mejores resultados, entonces pueden aceptarse infracciones menores. Esto permitiría, por ejemplo, que añadieras a tu zumo de verduras, hierbas en polvo tales como la equinacia o el botón de oro para incrementar los poderes curativos del zumo y reforzar el sistema inmunológico.

¿Qué vitaminas es adecuado tomar? Durante un ayuno, únicamente son aceptables las vitaminas hidrosolubles y, preferiblemente, sólo la vitamina C. Si necesitas tomar una vitamina B específica, por ejemplo la B_1, por un problema de salud concreto, entonces hazlo bajo supervisión. En este caso, la vitamina se usaría terapéuticamente como una droga.

Pero si lo que quieres es tomarte una pastilla vitamínica concentrada, que contenga todas las vitaminas B, por favor, no lo hagas. No necesitas complementos dietéticos durante un ayuno. Los zumos frescos te aportan todo lo que necesitas. La vitamina C es la única excepción debido a su influyente papel en el proceso de purificación y en el refuerzo del sistema inmunológico. Pero, en general, no necesitas un suplemento de minerales ni de vitaminas. De hecho, pueden desequilibrar la delicada química de tu organismo.

Una cosa más: evita tomar aspirina y tilenol (acetaminofeno) durante un ayuno. Estas drogas mitigan los síntomas pero no curan, e interfieren con la química natural del cuerpo. La gota, la artritis, la arteriosclerosis..., son condiciones crónicas que tal vez no se desarrollarían si se dejara que las crisis tóxicas siguieran su curso natural sin interrumpirlo con drogas. Toma enemas, baños, ponte paños calientes sobre la cabeza, descansa o vete a dormir, pero evita estos fármacos.

Por supuesto, todas las medicinas o drogas quedan excluidas de un ayuno. Una pareja a la que aconsejó este autor ayunaba pero fumaba marihuana. En un organismo que no consume otros nutrientes externos, el efecto de ésta u otras drogas aumenta. Estresa al hígado, que tiene que purificarse de la nicotina y THC y ralentiza todo el proceso de purificación.

¿Bebidas frías o bebidas calientes? ~~~~~

Durante el ayuno, una de las decisiones que tendrás que tomar constantemente es qué beber. ¿Qué deberías tomar, agua, un zumo de zanahoria, un zumo de fruta, un cóctel de verdura, una infusión, un caldo caliente…? Uno de los factores que te ayudará a decidir es si quieres que tu bebida sea fría o caliente. Eso acota el campo. Si eliges que sea fría, no debes echarle cubitos de hielo ni tomar bebidas granizadas. No son sanas en ninguna época del año, pero menos aún durante el ayuno, ya que tienes el estómago contraído y ligeramente dormido y echarle líquidos helados es un duro golpe para un organismo que está en baja forma para afrontarlo. No uses cubitos de hielo. Si tienes calor, ve a nadar a la piscina. Lo mismo vale para las bebidas calientes. Las bebidas muy calientes pueden resultar molestas, especialmente para un estómago durmiente. Caliente está bien, pero no demasiado caliente. El café caliente, por si te lo preguntas, no está en la lista de bebidas liquidarianas. Tampoco lo están el café con hielo ni la cerveza fría.

¡No te olvides del agua! ~~~~~~~~~~~~~

No, por favor. Sólo porque un liquidariano tenga tantas opciones maravillosas no quiere decir que deba excluir de su dieta la bebida número uno en cuestión de ayunos: el agua. El agua es un disolvente fantástico y un agente desincrustante y limpiador de los demás líquidos que actúan sobre tus riñones, vejiga y tracto digestivo. El agua también contiene electrolitos naturales, que son ácidos, bases y sales que con-

Amor

ducen nuestra bioelectricidad por el sistema nervioso. No te olvides de que el agua es muy alimenticia, al aportar minerales y oligominerales vitales. El agua es sana… siempre y cuando sea agua pura.

La calidad del agua 〰〰〰〰〰〰〰〰〰

Uno de los puntos más importantes del ayuno es la calidad y el tipo de agua que se consume. A menudo es algo a lo que no se le presta atención por la creencia popular de que el agua es simplemente agua. ¡No lo es!

El agua debe ser pura. No podemos tomarnos la molestia y el esfuerzo de limpiar nuestro cuerpo y, a la vez, ensuciarlo con H_2O contaminada. La contaminación es un gran problema, pero uno al que mucha gente no le presta atención porque no tiene las respuestas para combatirlo. Prefieren negar su existencia en lugar de hacer el tremendo esfuerzo de resolverlo. Pero la contaminación del agua es, desde luego, un problema nacional, mundial. Como solución alternativa puedes comprar agua mineral, fabricar la tuya propia con una destiladora o filtrarla. Dentro de estas opciones surgen otras preguntas: ¿Es seguro beber agua embotellada? ¿Eliminará el filtro todos los contaminantes? ¿La destiladora no producirá agua muerta?

Cierto, el agua destilada no tiene vida; se hace hirviendo el agua, lo que destruye las bacterias a través de la esterilización. Por otro lado, tenemos el agua mineral, que puede que no sea lo que se supone que debe ser. La publicidad engañosa y las marcas falsas han dejado a la industria una imagen dañada. Por otra parte está el agua *purificada,* que se obtiene pasando el agua a través de una capa de carbono muy compleja. El bloque en sí mismo es tan denso que ni siquiera las bacterias consiguen traspasarlo.

Uno de los temas más controvertidos en el campo de la salud hoy en día es la polémica en torno a qué agua beber: destilada, de manantial o filtrada. En cierta forma se trata de ver qué es natural. El agua de manantial, por supuesto, es natural, pero ¿es pura? Con el medioambiente tan contaminado que tenemos hoy en día y en el competitivo mundo comercial actual, ¿cómo podemos estar seguros de que realmente obtenemos lo que pone en la etiqueta? La auténtica agua filtrada conserva los minerales sanos pero, en su mayor parte, no puede quitar los fluoruros, nitratos, sulfatos ni el sodio. Si esto no te preocupa, entonces puedes utilizar los filtros de capas de carbono de alta densidad. Algunos fabricantes de estos filtros les han incorporado medios para eliminar los fluoruros y nitratos. Sin embargo, si lo que queremos es librarnos de estos «iones», el agua destilada es la mejor elección; el problema es que también quita todo lo demás, dejando el agua «muerta». Esto quiere decir que es estéril y no contiene ningún tipo de forma viva. También existe la ósmosis reversa, una tecnología relativamente nueva que elimina las sales, fluoruros, nitratos, así como los contaminantes orgánicos corrientes. El agua pasa por una membrana que filtra los contaminantes. Desgraciadamente, la membrana depende de la dureza o suavidad del agua, de su acidez o alcalinidad y de lo turbia que esté, por lo que no es capaz de purificar el agua de una forma consistente en todas las localidades. Además, la vida útil de la membrana no es previsible.

¿Deberías beber agua muerta durante tu ayuno? Más bien no. Si el agua no te aporta nutrientes, no te va a alimentar durante un ayuno a base de agua, ya que ésta será tu única fuente de alimento. No obstante, el agua destilada ayuda a limpiar tus riñones, tu vejiga y corriente sanguínea y es un quelatador natural. Si además tomas zumos, entonces probablemente no tendrás que preocuparte por los minerales que puedas estar dejando de recibir, ya que el agua no es tu única fuente de minerales. De hecho, un vaso de zumo de zanahoria te aportará más calcio que cincuenta vasos de agua de cualquier manantial.

Por tanto, cualquiera de las aguas valdría durante un ayuno a base de zumos, siempre y cuando éstos fueran puros. Sin embargo, en un ayuno a base de agua es obligatorio tomar agua de manantial, o cualquier agua pura con minerales, ya que es tu única fuente de éstos. También podrías obtener agua con minerales filtrando el agua a través de una capa de carbono o de agua destilada reconstituida. ¿Qué es el agua destilada reconstituida? Es agua destilada (estéril) que ha sido remineralizada. Puedes hacerlo añadiendo tres granos de arroz por cada 4 litros de agua destilada. Los granos liberan sus minerales, vitaminas y enzimas en el agua, volviéndola viva. Otros posibles métodos son dejar el agua destilada al sol para que éste la cargue de energía y, de paso, a ti también.

7

Recuperación y purificación

El ciclo de recuperación y purificación

Cuando ayunas, estás sobre una mesa de quirófano natural. El cuerpo se cambia de sombrero: en lugar de ocuparse de recibir alimentos, procesarlos, almacenarlos, analizarlos, asimilarlos, discriminarlos y descargarlos, pasa a realizar las tareas propias de la limpieza general de la casa; a saber: eliminación, desinfección, restauración y renovación. Es una gran labor, y no sin pocos inconvenientes, especialmente cuando hay alguien más viviendo en casa.

Nadie ha dicho que ayunar sea 100 por 100 fácil. Es probablemente más fácil de lo que piensas. De hecho, ayunar es muy fácil, ¡lo que es difícil es recuperarse! Lo cierto es que al sanarte puedes ponerte malo. Échale un vistazo a los síntomas y que relacionamos en el siguiente apartado.

Síntomas de un proceso de recuperación

- Erupciones
- Eczema
- Acné
- Náuseas
- Debilidad
- Mareos
- Sofocos
- Fatiga
- Bronquitis
- Asma
- Dolor de cabeza
- Desfallecimientos
- Fiebre
- Diarrea
- Dolores musculares
- Mal aliento
- Congestión nasal
- Hemorragia nasal
- Pulso cardíaco irregular
- Menstruación irregular

¡Oye! ¿Qué es esto, un ayuno o la gripe? De hecho, los síntomas que aparecen durante el proceso de recuperación de un ayuno pueden ser exactamente iguales a los de una gripe. Piensa que los venenos actúan dos veces: al entrar al cuerpo y al salir de él. El hígado ha sido un auténtico aliado para guardártelos todos estos años, pero la limpieza general llamada ayuno ha dejado las telarañas al descubierto. El colon ha conservado inocentemente materia contaminada durante décadas, pero cuando empiezas a abrir esos rincones oscuros y sucios, suelta toda su porquería y lodo.

¿Cómo elimina uno las toxinas del cuerpo? Primero tienen que volver a la circulación, ya que han estado inmovilizadas durante años. Cuando vuelven a estar en circulación, se pasean un tiempo por el cuerpo buscando la salida. Puede que viajen por la cabeza (¡ay, qué dolor de cabeza!); puede que pululen para salir por la piel (erupciones, acné, forúnculos, llagas, eczema...); puede que intenten hacer un viaje por el intestino (diarrea), o tal vez intenten escaparse por los pulmones (bronquitis, asma) o por los riñones (infección de orina, mal olor). ¿Y si no consiguen escapar tan fácilmente? Cuanto más anden vagando por ahí, más débil y fatigado te sentirás. Las fiebres son muy comunes. Cualquier cosa que puedas hacer para acelerar la limpieza general irá a tu favor. (Ver *Métodos de desintoxicación,* página 109.)

Estos períodos de gran malestar son los llamados «procesos de recuperación» y vienen y van siguiendo un ciclo regular durante los ayunos largos. También se les conoce como «crisis de recuperación», ya que representan el clímax de desintoxicación y la catarsis o proceso de limpieza. Su frecuencia puede oscilar entre diez y catorce días. Para tu tranquilidad, has de saber que los procesos de recuperación son relativamente cortos. Generalmente duran entre uno y tres días, aunque pueden durar más. Tal vez te sientas muy enfermo, pero el tiempo que transcurre entre cada proceso de recuperación es pura energía: te sentirás genial. Cuanto más ayudes a la eliminación, más rápido se pasarán estos días de «enfermedad» y más suaves serán los síntomas. Cuando estés experimentando una crisis de recuperación, no te olvides de que, cuanto mayor sea la descarga, mayor será la cura y aumentará la ganancia. La zona corporal congestionada determinará el tipo de crisis eliminatorias.

Ante todo, cautela. Si tienes síntomas demasiado severos y frecuentes, si la fiebre es demasiado alta, si no estás seguro de lo que estás haciendo ni cuentas con una orientación profesional adecuada, entonces, sólo entonces, deberías pensar en romper el ayuno. Dejar el ayuno hará que las toxinas que tienes en la corriente sanguínea se diluyan con los alimentos. Aliviará el estrés de tu organismo. La crisis habrá pasado temporalmente. Pero no habrás resuelto el problema de qué hacer con los venenos que te han puesto tan enfermo. Permanecerán dentro de ti, sólo retenidos. El ayuno con zumos generalmente produce procesos de recuperación más suaves que los que genera un ayuno a base de agua. Bebe líquidos en abundancia y utiliza todos los métodos de desintoxicación a tu alcance para diluir las toxinas (véase siguiente capítulo, *Métodos de desintoxicación*). Túmbate y espera a que se pase. Súdalo. Descansa, duerme, descansa. No te levantes demasiado deprisa o te marearás. Intenta no alarmarte. En general, ayunar tiene más de alegre que de incómodo, y a los procesos de recuperación a menudo les siguen períodos de euforia.

8

Métodos de desintoxicación

Los órganos de eliminación

¡**A**yuda a tus órganos y ellos te ayudarán a ti! Como hemos mencionado, hay varias formas de que las toxinas salgan del cuerpo. Puedes ayudar a ello asegurándote de que tienen el camino libre y utilizando tu espléndida influencia para acelerar las cosas. ¿Quién te ha dicho que ayunar es una mera abstinencia de la comida? ¡No esperarás salirte con la tuya sin un poco de trabajo duro! Analicemos los órganos uno por uno, veamos cuáles son sus funciones eliminatorias y veamos lo que puedes hacer tú para ayudar.

Los pulmones

¡Oh, lo que darían por una bocanada de aire puro! Sí, el mero hecho de respirar ayudará a tus pulmones. Aunque puede que no te des cuenta de ello o que no quieras saberlo, tus pulmones ingieren kilos de contaminantes y están eliminando sin parar grandes cantidades de gases tóxicos cada minuto. Recuerda, el oxígeno es nuestro nutriente más importante. Marca la línea divisoria entre la vida y la muerte. Puedes ayunar y apañártelas sin comida, incluso puedes pasar sin agua durante un tiempo, pero no puedes estar sin aire. Respeta a tus pulmones y ellos te insuflarán vida.

Antes de nada, construyamos esos músculos. Aunque puede que no lo pienses, tus pulmones están hechos de tejido muscular y hay que ejercitarlos. Una de las mejores formas de hacerlo es tocar la tuba. Si la tuba es más grande que tú, inténtalo con la corneta; y si no eres una persona muy musical, prueba con un globo o una barca hinchable. Eso es, ¡sopla! Si estas opciones te resultan demasiado engorrosas, simplemente respira hondo. En la mayoría de nuestras actividades diarias utilizamos sólo un tercio de nuestra capacidad pulmonar. ¿Cómo podemos llegar a usar los dos tercios restantes? Respira hondo.

Encontrarás algunos de los mejores ejercicios de respiración en la ciencia y la práctica del yoga. El yoga es más un «intraejercicio» que un ejercicio. Con sólo diez o quince minutos de ejercicios respiratorios de yoga al día, influirás claramente sobre tu purificación y salud en general.

Primero, simplemente inspira y espira en tres etapas llenando los pulmones alto, medio y bajo. Ve despacio y descansa cada vez. También puedes expulsar aire de los pulmones mediante marcadas respiraciones diafragmáticas, conocidas como *kapalabhati*, o mediante agudas espiraciones e inspiraciones de fuelle, conocidas como *bhastrika*. También puedes taponarte uno de los orificios nasales con un dedo y respirar por el otro y así alternativamente. Consulta a tu profesor de yoga o tu libro de yoga para obtener una orientación completa sobre estos potentes ejercicios.

Si quieres tener un poco de vapor en el ambiente, consíguelo mediante un vaporizador. Estos aparatos expulsan aire caliente humedecido a tu entorno, lo que reblandece las materias de desecho y facilita la respiración. Añade al vaporizador eucalipto, aceite del árbol del té, mentol o hierbas específicas como la consuelda para ayudar a la eliminación. Los vaporizadores están diseñados para que eches en ellos cualquier mejunje que desees introducir en tus pulmones. Son diferentes de los más simples humidificadores. Estos últimos generalmente añaden aire húmedo frío al ambiente general de la habitación. A la mayoría de los humidificadores no se les pueden introducir medicamentos (obstruyen la máquina).

Sin embargo, es muy importante tener aire adecuadamente humedecido, especialmente en invierno, cuando los sistemas de calefacción de las casas secan el aire dentro de ellas. Los humidificadores ultrasónicos utilizan ondas sonoras para dividir gotas de agua hasta convertirlas en una fina niebla. No se llenan de moho por dentro como los tradicionales humidificadores de cinturón. Tal vez seas alérgico o sensible al moho. Pero las máquinas ultrasónicas son controvertidas debido al polvo mineral blanco (calcio) que dejan en la casa por la atomización del agua. Además utilizan ondas sonoras, lo cual es algo cuestionable en lo que respecta a su efecto sobre la salud humana. Los humidificadores que utilizan un elemento calentador para vaporizar el aire son la alternativa preferible de «baja tecnología». Los deshumidificadores, por cierto, también son muy sanos porque quitan el moho de una casa eliminando la humedad en la que éste vive. Son especialmente útiles en las viejas casas de madera de las áreas rurales y en la época de verano, cuando la humedad es alta.

También puedes ayudar a tus pulmones bebiendo infusiones. Fenugreco, consuelda, lobelia, énula y marrubio son sólo algunas de las infusiones que te puedes hacer. Consulta tu guía de hierbas o a un profesor entendido en la materia para obtener instrucciones completas.

Y no te olvides de hacer ejercicio. Unos suaves ejercicios aeróbicos que estimulen la respiración son una de las mejores formas de desintoxicar los pulmones. (Véase *Ejercicios para la desintoxicación,* página 120.)

La piel

La piel es nuestro mayor órgano para la eliminación de toxinas. Cada poro de tu cuerpo es una salida, una vía de escape para la materia de desecho. No ignores tu piel. Cepíllala, airéala, frótala y báñala. Si tu piel se siente bien, también tú te sentirás bien. Hay dos formas en que puedes utilizar la piel para eliminar desechos: la estimulación interna y la estimulación externa.

La estimulación externa consiste en el lavado y cepillado que acabamos de mencionar. Los cepillos de fibra natural frotados sobre la piel la dejan rosada y cosquilleantemente limpia. La circulación cobra vida y se lleva las toxinas que están buscando una vía de escape. Al elevar la circulación hacia la piel, le das una salida a las toxinas. Las esponjas vegetales son unos excelentes cepillos naturales de fibra marina.

Dale aire a tu piel. Evita las prendas sintéticas porque no permiten una ventilación adecuada y pueden irritar la piel, especialmente si la tienes sensible. Los algodones naturales respiran mejor y no producen alergias. Tú decides, *Caveat emptor*, «a riesgo del consumidor». Algunos tejidos sintéticos que van marcados como no alergénicos, luego resultan serlo. Ten cuidado. Siempre que puedas, lleva cuanta menos ropa posible. Sal y expón tu piel al sol y al aire. Esto no es un consejo para que te quemes, sólo para que airees tu cuerpo.

La estimulación interna supone hacer cosas que estimulen la eliminación a través de la piel sin tener que hacerle nada directamente a ésta. Las saunas y los baños de vapor son un ejemplo. Los baños de vapor son preferibles durante un ayuno, porque el calor seco de las saunas es muy debilitante. Si sólo te es posible ir a una sauna, limítate a lo mínimo que puedas tolerar. Los baños de vapor, también llamados baños turcos, sin embargo, añaden humedad a los pulmones y a todo el cuerpo. Ablandan la piel y el calor estimula la circulación por toda ella. Los poros sueltan sudor y las toxinas fluyen con él. Toma un baño de agua fría para obtener una estimulación aún mayor y luego vuelve al vapor.

En casa, simplemente toma un baño caliente. No lo tomes demasiado caliente si estás un poco debilitado. Usa sales de Epsom o sales marinas muertas, hierbas como el jengibre, la cayena, la salvia o productos equivalentes. Estos baños te hacen sudar y pueden ayudar a mitigar dolores de cabeza, fiebre, problemas de piel, etcétera. El agua salada produce una corriente osmótica desde los fluidos de tus sistemas circulatorio y linfático hacia el agua del baño. Si usas sal de Epsom, no tengas reparo en echar todo el bote de 2 kilos en la bañera. Algunas personas añaden bicarbonato para aumentar el efecto limpiador sobre la piel. La sal de Epsom también es un relajante mus<cular y, después de diez o veinte minutos (pasa

sólo el tiempo que puedas tolerar), sal y métete rápidamente bajo las sábanas a sudar, sudar, sudar. Haz esto una vez al día o cuantas veces te sea posible. Los baños minerales que ofrecen en determinados balnearios son también reparadores de una forma parecida. Aprovéchalos. Todos estos baños ayudan a moderar las molestias de los procesos de recuperación. Si estás cerca del mar, no te lo pienses y métete en él, esté frío o no. El agua salada del mar es una magnífica limpiadora. Tu piel notará un cosquilleo y se sentirá limpísima. Túmbate después al sol. Si la piel se te seca demasiado debido al exceso de sol y sal, frótate con aceite de vitamina E o gel de áloe vera. Éste no es un protector solar, sólo un lubricante reparador.

Los riñones

Los riñones tienen el papel principal en la eliminación de desechos líquidos del cuerpo y purifican constantemente la corriente sanguínea. Estos dos órganos, en la parte baja de la espalda, raramente tienen un descanso, ni siquiera durante un ayuno, a no ser que sea un ayuno a base de agua destilada. Como el agua destilada no tiene ningún contenido mineral ni nutricional, purga los riñones. En lugar de que los riñones trabajen para purificar el agua, el agua purifica los riñones. Sin embargo, en comparación con la comida y la bebida, cualquier agua es un alivio para estos órganos.

Hay muchas hierbas específicas para los riñones por sus propiedades para limpiar, aumentar el flujo de orina (diuréticos) e, incluso, disolver piedras del riñón y la vejiga. Algunas de ellas son las enebrinas, el perejil, la zanahoria silvestre, el eupatorio y la uva ursi. Los zumos son extremadamente efectivos; hazlos de corteza de sandía, perejil, arándanos, pepino, apio, áloe vera, hierba de trigo, diente de león, fresas y espárragos. No tomes hervidas las verduras que contienen ácido oxálico, como las espinacas, el ruibarbo y la acelga, ya que pueden producir en el cuerpo cristales de ácido oxálico, que se depositan a menudo en los riñones y la vejiga.

Si tienes dolor de riñones, ponte compresas frías y calientes sobre ellos, alivia el dolor. La vitamina C ayuda en las infecciones de riñones y vejiga, es algo reconocido incluso por la medicina ortodoxa. El asma está a menudo relacionado con las disfunciones renales, de modo que, afectados de asma, dadle un poco de sol a vuestros riñones. La cálida luz solar es muy reparadora y no es sólo su calor lo que ayuda a los riñones, sino también la cromoterapia. Deja que el sol toque su melodía de rayos reparadores sobre tu espalda. Ayuna. Bebe agua destilada. ¡Dale un descanso a los riñones!

El hígado ~~~~~~~~~~~~~~~~~~~~~~~~

El hígado probablemente sea el mayor purificador de todos los órganos porque toma las toxinas, las neutraliza y, las que no puede convertir en materia inofensiva, las almacena. El resultado esencial es el mismo: nos protege del daño. Sin embargo, seguir una mala dieta durante demasiado tiempo es más de lo que nuestro hígado puede soportar. Verás los síntomas de los excesos en la calidad de tu piel y de tu pelo.

Cuando se ayuna, el hígado está muy ocupado. Intercepta y filtra los venenos que le llegan desde otras partes del cuerpo mientras que, a la vez, suelta sus propias toxinas. Por suerte, está temporalmente libre de tener que procesar nueva comida. Libera al hígado de esta pesada carga. Ayuna, limpia y púrgalo con zumos crudos, hierbas, ejercicios y manipulación. ¡Que viva el hígado!

Los zumos para el hígado son los de hierba de trigo, zanahoria, remolacha, diente de león, perejil, limón, pomelo, manzana y espinacas. Si añades una cucharadita de aceite de oliva al zumo de limón o de pomelo estimularás la liberación de bilis por la vesícula biliar. (La vesícula biliar está unida al hígado.) Las hierbas pueden utilizarse de una forma efectiva para el hígado usándolas en infusiones y en compresas frías y calientes colocadas sobre la zona. Algunas de las hierbas que le van bien al hígado son el botón de oro, la mandrágora, la cáscara sagrada, la *black cohosh* (*cimifuga racemosa*) y cálamo aromático, por nombrar sólo algunas. Ponte un paño húmedo caliente sobre el hígado para estimular la circulación y la desintoxicación. O dale un alimento rojo para estimularlo, limón para soltarlo y limpiarlo y, finalmente, verdura para relajarlo y sanarlo. La luz solar y el ejercicio son excelentes para el hígado.

Visita a tu masajista. Un masaje dirigido al hígado y al intestino, así como un buen masaje corporal completo, es una de las mejores cosas que puedes hacer durante el ayuno. El hígado nos da una auténtica ventaja sobre el resto de órganos principales, porque podemos llegar a él. La manipulación física del hígado es una de las mejores formas de ayudar a la desintoxicación porque estimula mecánicamente el órgano, lo cual se suma a la estimulación química de los zumos y hierbas. Un buen masajista puede amasar y bombear el hígado de la misma forma que un panadero amasa pan. Ten cuidado de no pasarte de la raya. Sólo quieres soltar lo que vayas a ser capaz de tolerar. Empieza con los masajes despacio y con suavidad. Trabaja de cerca con tu masajista. Hazle saber cómo te sientes. Usado juiciosamente, un masaje al día puede más que el doble cumplimento de tu ayuno durante el mismo período de tiempo. ¡Viva el masajista! ¡Viva el hígado!

El colon

El colon elimina los desechos sólidos y absorbe agua de las comidas. Cuando la comida entra por primera vez en los intestinos, está en un estado húmedo semisólido. El colon absorbe la humedad de la comida, dejando únicamente los sólidos para ser eliminados del cuerpo. A lo largo de todo el conducto del tracto intestinal, la peristalsis, el movimiento ondulante de los intestinos, mantiene la comida en movimiento hacia la salida, el ano. Cuando se ayuna, la peristalsis cesa prácticamente del todo, ya que el intestino se vacía. Esto no quiere decir, sin embargo, que no haya más desechos. El colon está plagado de recovecos (divertículos), giros y circunvoluciones donde se van almacenando los desechos. Estas zonas raramente se limpian, debido a la circulación regular de enormes cantidades de comida. Durante el ayuno, estos recovecos empiezan a vaciarse y, a la vez, los fluidos tóxicos que están siendo eliminados en otras partes del cuerpo se abren camino hacia el colon. Debido a la falta de alimentos sólidos y de peristalsis, las toxinas son frecuentemente reabsorbidas por el colon en lugar de ser eliminadas. Frecuentemente este proceso es la causa de malestares como dolores de cabeza, fatigas y problemas de piel, por nombrar sólo unos pocos. Cualquier cosa con la que puedas ayudar a la eliminación de desechos del colon será beneficiosa para ti.

La forma más directa y mejor de acelerar la eliminación de desechos del colon es mediante el lavado de colon y enemas. Estas técnicas simplemente suponen la utilización del agua para realizar una lavativa intestinal de la misma forma que una ducha limpia la zona vaginal. A continuación realizaremos un análisis de las diferencias entre ambas técnicas y de sus relativas ventajas. Las bebidas de semillas de psilio y otras bebidas aglutinantes que se convierten en gel en los intestinos (ver *Limpiadores del colon,* página 95) también funcionan de forma efectiva para mantener el movimiento de los desechos a través del colon.

Las hierbas también pueden estimular la peristalsis y nutrir el colon. Algunas hierbas, como la sena, la cáscara sagrada y la mandrágora, actúan en realidad como irritantes que el colon intenta expulsar junto con otros desechos. Hierbas como la raíz de ruibarbo, la menta, el botón de oro, el áloe y la hierba de trigo actúan como un tónico para sanar el colon. La infusión de flax es un fantástico laxante, como lo son los zumos crudos de apio, manzana, zanahoria, ruibarbo, espinacas, ciruelas pasas, higos, pasas y lactobacilo. Darse un masaje intestinal antes de un enema o un lavado de colon hace maravillas. El ejercicio y la respiración honda también deberían formar parte de tu programa completo de higiene del colon.

Otros efectos

Durante el ayuno, tu lengua, dientes y encías podrían desarrollar una capa de suciedad. Si estás siguiendo un ayuno de zumos, cepíllate los dientes o utiliza un limpiador bucal. Si estas siguiendo un ayuno a base de agua, usa sólo un poco de sal y bicarbonato como limpiador bucal. Prueba a rasparte la lengua con una cuchara o con un raspador especial de lengua que venden en tiendas especializadas.

Puede que te salgan legañas en los ojos, especialmente por la mañana, o tal vez que te lloren. Los oídos se te pueden taponar de cera o suciedad. No te sorprendas si estornudas, tienes congestión nasal o te gotea la nariz. Son todas vías de eliminación. Guarda una práctica higiénica normal en estas zonas, especialmente durante el ayuno.

Si sientes náuseas, túmbate y descansa. Si la sensación no desaparece y va acompañada de un dolor de cabeza, provócate vómitos. A algunos les resulta difícil devolver, pero no es algo feo y, en algunos casos, es la forma más conveniente de eliminar toxinas del cuerpo. Uno debería saber cómo provocarse vómitos incluso como práctica sanitaria para casos de emergencia, como, por ejemplo, un envenenamiento. Tomar varios vasos de agua caliente con sal ayuda. Si hace falta, toma té de lobelia, una infusión con mucho poder emético (es decir, que provoca vómitos). Lávate las manos, inclínate sobre el inodoro o sobre el lavabo y métete los dedos en la garganta. Aclárate y continúa hasta que lo hayas expulsado casi todo. Vomitar te producirá sudores fuertes, como parte del proceso eliminatorio. Túmbate después y duerme o descansa. Te sentirás muy aliviado.

De esta manera podrás librarte de un montón de toxinas fácil y rápidamente, aunque es muy engorroso y poco decoroso. De hecho, los yoguis se tragan un paño purificado y se lo vuelven a sacar como parte de un proceso de limpieza estomacal llamado *dhauti*. (Si vas a salir corriendo ante la idea de probarlo tú, te recomendamos que consultes primero a un profesional del yoga o un buen libro sobre el tema.) Vomitar no es una obligación, pero a veces es la forma más efectiva de enfrentarse a la fiebre, el dolor de cabeza, las náuseas y los malestares en general durante una crisis de recuperación.

Si tienes dolor de cabeza, mete los pies en un baño de agua caliente con mostaza o cayena. El baño te bajará la sangre de la cabeza y aliviará la presión. Ponerse bolsas de hielo sobre la cabeza también ayuda. Si tienes los senos frontales congestionados, puede que te siente bien colocarte un paño facial caliente alrededor de los ojos y la nariz. El paño debería aportar calor húmedo y aliviar la congestión. A veces, colocar una compresa caliente sobre el hígado o los intestinos también resulta beneficioso, ya que los dolores de cabeza son a menudo síntomas relacionados con esos órganos.

Ejercicios para la desintoxicación

El ejercicio debería ser una parte importante de tu programa de salud, ya estés ayunando o no, pero es especialmente importante incluirlo durante un ayuno.

Los ejercicios aeróbicos son aquellos que requieren un gran aumento de la respiración y son los más importantes. Entre ellos están la natación, el ciclismo, el paseo, la cama elástica y el baile suave. Sí, correr y hacer *footing* también son ejercicios aeróbicos, pero los hemos dejado fuera de forma evidente porque son demasiado extenuantes para realizarlos durante un ayuno. El ejercicio, después de todo, requiere energía y tu ayuno, tal y como ya hemos visto, requiere el ahorro de energía, de forma que los únicos ejercicios en los que deberíamos fijarnos son aquellos que facilitan la eliminación sin crear estrés adicional. En este sentido, nadar y andar son dos de los mejores ejercicios. Los pulmones incrementan la actividad de oxigenación de las células y de expulsión de los desechos gaseosos. La cama elástica es otro ejercicio fantástico porque agita el sistema linfático, ayuda a eliminar los desechos líquidos y no afecta al sistema óseo. Sin embargo correr supone un golpe fuerte para los tobillos y las rodillas y causa estrés en el miocardio. Correr y hacer *footing* son ejercicios maravillosos con muchas ventajas, pero no en esta ocasión.

El yoga, aunque no es exactamente aeróbico, es una práctica fantástica durante un ayuno. Hay posturas de yoga concretas que estimulan y masajean el colon, el intestino delgado, el tiroides, el hígado, los riñones, las glándulas suprarrenales y la parte baja de la espalda, etc. Ya impliquen ponerte boca abajo o simplemente causarte una compresión y liberación en una determinada zona, son suaves pero muy efectivos. El yoga puede exprimir las toxinas que hay en los músculos y ligamentos. Y no te olvides del *pranayama*, los ejercicios de respiración honda que vacían los pulmones y oxigenan el cuerpo entero.

Ten cuidado con el ejercicio. La época del ayuno no es la más adecuada para levantar pesos o ejecutar duras danzas aeróbicas. Debes elegir tus ejercicios de la misma forma que lo haría una mujer embarazada. Recuerda: cuando ayunas, tu cuerpo está medio dormido. Los ejercicios muy agitados como el *footing* o saltar a la cuerda te aturdirán, te causarán estrés y te enervarán más que conseguir tu meta. No lo olvides: la meta de estos ejercicios no es ganar fuerza, sino ayudar a la purificación. Sobre todo, debes evitar el agotamiento. Sé consciente de hacer ejercicios para la estimulación, no para la extenuación.

El intestino grueso

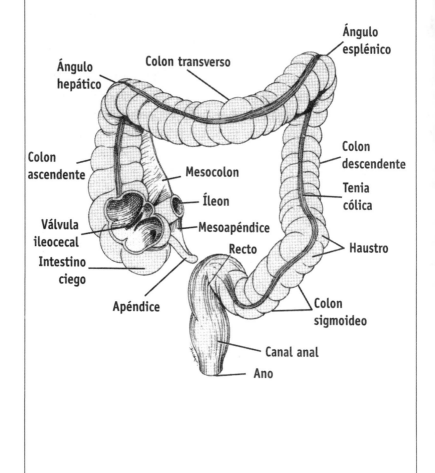

Lavados de colon y enemas

¡Puaj!

Admitámoslo: para la mayoría, éste no es el tema más sugerente que puede haber. Su mera mención produce caras raras. Es una pena, porque debería ser simplemente otra parte de nuestra higiene personal, como limpiarnos la cera de los oídos o la suciedad de debajo de las uñas. No es más o menos feo que una ducha vaginal. En última instancia, es demasiado importante para nuestra salud como para seguir llevando un estigma así.

¡Pruébalo, te gustará!

Suena como la coletilla final de un viejo anuncio pero, en este caso, es realmente cierto. Aunque hay muy poca gente que inicie una sesión de lavado de colon con ganas o con alegría, la gran mayoría se va dispuesta a repetirla. La razón es sencilla: produce una instantánea sensación de frescor. Puedes ver y sentir los resultados.

Ventajas

Tanto los lavados de colon como los enemas simplemente consisten en un aclarado del colon con agua. Hay docenas de técnicas médicas más invasivas y dolorosas. No obstante, la gente frunce el ceño al pensar en enemas debido a las inhibiciones psicológicas que conlleva enfrentarse a los propios desechos.

También es un problema cultural. Ninguna comunidad quiere que se queme su basura en su patio, así que normalmente se lleva la basura a kilómetros de distancia. Se está convirtiendo en un tema medioambiental y sanitario de primer orden que tenemos que afrontar como sociedad. Y todo empieza por el individuo en particular.

El temor que le inspiran a mucha gente los enemas y los lavados de colon tiene que ver con la falta de conocimientos sobre ellos. La mayoría de nosotros simplemente no reconocemos que la producción de desechos es algo fundamental para nuestro mecanismo interno. En cuanto aceptemos la responsabilidad de la gestión de nuestros propios desechos, habrá desaparecido el estigma y nuestra salud se beneficiará de ello.

Si quieres tener una buena salud, no puedes ir por la vida ignorando tus entrañas, ni cualquier otra parte de tu cuerpo. Especialmente durante un ayuno, es imperativo mantener los intestinos limpios. Como hemos mencionado anteriormente, aunque no comas, seguirán saliendo desechos sólidos de los intestinos; pero, dado que no hay una masa que ayude a recogerlos a su paso, a menudo se acumulan y son reabsorbidos, provocando con ello dolores de cabeza, fatiga y otros malestares. Este proceso es conocido como autointoxicación.

Prevenir la autointoxicación y ayudar a la eliminación es parte de tu trabajo durante el ayuno. La limpieza regular del colon puede acelerar la desintoxicación y, de hecho, acortar el ayuno. Un lavado de colon puede equivaler a dos días de ayuno, es decir, llevaría dos días eliminar una cantidad equivalente de desechos por medio de la eliminación normal del cuerpo.

¿Por qué ayunar durante más tiempo del necesario? Puedes acelerar la purificación con un lavado de colon o un enema. Además, te sentirás mejor.

La diferencia entre el lavado de colon y el enema

Puede que ya estés familiarizado con una bolsa de enema. Se puede comprar en cualquier farmacia. De todas formas, ojo con lo que compras; hay dos tipos de enema: uno químico y otro acuoso.

El enema químico es pequeño y de un solo uso. Los compuestos químicos actúan como agentes que estimulan la evacuación intestinal. Son apropiados para gente que no puede mover los intestinos, y es equivalente a tomar aceite de ricino u otros laxantes. No es recomendable y no se ajusta a nuestro objetivo.

Elige, pues, el enema de la bolsa de agua, la de litro. El procedimiento del enema simplemente permite que el agua entre lentamente por el colon y salga de él poco a poco, llevándose desechos sólidos en el camino. Uno se tumba para meterse el agua dentro y va al inodoro a echarlo. No hay agujas ni puntas afiladas ni compuestos químicos de por medio, sólo agua. Además, el colon está habituado al agua, ya que parte de su labor principal es extraer el agua de nuestra comida.

Ponerse un lavado de colon es un procedimiento similar, aunque a mayor escala, y requiere la asistencia de un profesional. Se realiza en la consulta del terapeuta y normalmente lo hace una persona experta en el tema, que suele ser una enfermera, un terapeuta físico o, simplemente, un terapeuta experto en lavados de colon. La mayoría tienen sus propias consultas o las comparten con masajistas, acupuntores, quiroprácticos o naturópatas. Algunos ejercen en las consultas de los médicos titulados, lo cual es un indicativo de la aceptación de este procedimiento dentro de la medicina convencional. La ventaja de un lavado de colon es que te tumbas y relajas el cuerpo, especialmente el abdomen, mientras el terapeuta controla la entrada y salida de agua. Los desechos sólidos también salen por el tubo, así que no hay que levantarse para ir al retrete.

Debido a que está tan bien organizado, es posible tomar más agua en un espacio de tiempo menor. Un lavado de colon normalmente introduce y saca del colon unos 20 litros de agua en una sesión normal de 45 minutos. ¡Compara eso con el litro de un enema en casi la misma cantidad de tiempo! Obviamente, con el lavado de colon se hace un trabajo mucho más concienzudo en términos de volumen, pero es que, además, el terapeuta masajea el abdomen, lo que ayuda a soltar el material incrustado. El volumen extra también ayuda a meterse en los recovecos (divertículos) y dobleces del colon y el agua penetra más profundamente en el tracto intestinal. Recuerda también que estás tumbado y relajado, así que tus músculos se están ejercitando más que con el enema casero. Una aclaración: los 20 litros no entran todos de golpe. El flujo de entrada de agua se regula a tu comodidad. Participas en todo el proceso y el terapeuta está totalmente al corriente de tu confort.

A la mayoría de las personas que tienen un poco de aprensión a este tema les gustan más los lavados de colon que los enemas.

De alguna manera es como si te dieran una friega. Aunque hay momentos incómodos, normalmente uno se siente después refrescado y revitalizado, convirtiendo la experiencia en su totalidad en algo positivo.

Cómo y cuándo 〜〜〜〜〜〜〜〜〜〜〜〜

Una de las ventajas de los enemas es que puedes ponértelos en casa cuando te venga mejor y sin ningún coste. Durante un ayuno, los enemas deberían ponerse regularmente, ya sea a diario, una vez cada dos días o incluso una vez cada tres días.

Los lavados de colon son recomendables una o dos veces a la semana durante un ayuno. Cuantos más te pongas, mejor te sentirás y más fácil será.

Una vez se tienen los intestinos limpios, los enemas van más rápido y son más eficientes. Aclara la bolsa para asegurarte de que está limpia y luego llénala con agua tibia purificada. Lubrica la punta del enema y la zona del ano con vaselina lubricante (a la venta en cualquier farmacia), *crisco* o cualquier otro ungüento similar. Ponte en posición en el inodoro y deja primero que salga un poco de agua para eliminar cualquier burbuja de aire que pudiera haber. Mete la punta del enema cuidadosamente en el ano y regula el flujo de entrada de agua con la pequeña válvula. Túmbate cerca del baño en cualquier posición cómoda que prefieras, sobre la espalda, el estómago o un costado. En principio se suele preferir la espalda o el costado izquierdo. Después de varios enemas, cuando los intestinos ya están limpios, verás que cambiar de posición ayuda a mover el agua por dentro, para que se meta bien por los recovecos y dobleces. Cuando sientas la necesidad de soltar el agua, vuelve al inodoro.

Puede que el primer enema tengas que ponértelo en varias tandas. Después del primero o del segundo, probablemente serás capaz ponerte el litro entero de una sola vez.

Enemas exóticos

Aunque te resulte difícil creerlo, alguna gente llega a cogerle un gran apego a sus tratamientos de colon. Incluso cuando no estés ayunando puedes tomar lavados de colon o enemas periódicamente como parte de programa regular de purificación. Hacerse un lavado de colon una vez al mes o cada seis semanas resulta de mucha ayuda. Hay muchas cosas que puedes echarle al agua: infusiones de hierbas, hierba de trigo, vinagre, acidófilo o agua polarizada, por nombrar unas pocas. Las hierbas ayudan a estimular el hígado y a limpiar o tonificar el colon, dependiendo de cuáles elijas. (Véase *Infusiones*, página 85, o consultar una guía herbolaria.)

La hierba de trigo también estimula al hígado para que se purgue a sí mismo, neutraliza los venenos y alcaliniza un colon ácido.

El polvo de acidófilo disuelto en el agua del enema restituye algunas de las bacterias naturales beneficiosas que son expulsadas con el lavado. El vinagre ayuda a mantener el pH adecuado del colon a aquellas personas que no producen suficiente ácido clorhídrico y cuyo tracto intestinal es demasiado alcalino.

El agua fría se supone que contrae el tejido muscular y estimula la peristalsis. Nunca debería usarse agua caliente, porque es un choque demasiado fuerte para el colon y puede dar lugar a la reabsorción de los contaminantes. El agua tibia ayuda a desprender algunos sólidos, y es la que preferiblemente debe usarse.

Si vas a usar hierbas, asegúrate de que la infusión que metes en la bolsa del enema no sea más concentrada que una taza de té ligero. Cuando uses hierba de trigo, echa sólo entre 30 y 60 gramos de líquido/infusión. Si usas vinagre, echa sólo 30 gramos y, en el caso del acidófilo, añade sólo una cucharadita de café.

¿Es dañino?

El asunto más controvertido y que evita que los enemas y lavados de colon tengan una aceptación mayor es la acusación de que arruinan la habilidad natural del cuerpo para eliminar.

En general, eso no es así. Como cualquier otra cosa, estos tratamientos pueden utilizarse equivocadamente. Hay fanáticos de las lavativas que se aplican enemas y lavados de colon todo el tiempo, ayunen o no. Es cierto, si eliminas la necesidad de acción muscular, entonces los músculos dejan de funcionar y se acaban debilitando. Pero esto es en los casos de negligencia y mal uso. Incluso en los casos de ayunos largos en los que los enemas pueden llegar a tomarse a diario, si antes de ello tenías una actividad muscular normal, la volverás a tener. El músculo del esfínter puede ejercitarse simplemente contrayéndolo y aflojándolo voluntariamente.

Métodos de desintoxicación

Repite los movimientos durante un minuto dos o tres veces al día; es como una señal para iniciar la acción peristáltica, igual que una ficha de dominó, al caer, inicia el movimiento de todas las demás fichas.

Para trabajar los músculos del abdomen bajo, utiliza un banco de abdominales. Túmbate en la tabla con los pies más altos que la cabeza y levanta las piernas o dobla las rodillas hacia tu pecho. Haz tantos movimientos como puedas. La posición de banco de abdominales permite que los músculos se ejerciten sin tener que trabajar contra la gravedad.

Otra posible zona problemática es la sección sigmoide del colon, la parte anterior al recto. Si el colon bajo (descendente) está congestionado o el ángulo (punto en el que se dobla el colon) está bloqueado, puede que el agua simplemente llene la zona causando que el sigmoide se hinche. Si este problema se repite con suficiente frecuencia, puede debilitar y estirar los músculos en esa zona.

En algunas farmacias y tiendas de suministros quirúrgicos venden tubos de extensión para las puntas de enemas. El tubo más largo (de 76 cm) alcanza más allá del colon sigmoide y elimina este posible problema. El tubo de extensión también tiene la ventaja de, si se quiere, llegar más allá del colon descendente, para proceder a una limpieza más a fondo. Otro ejercicio que puedes realizar es el ejercicio de yoga de elevación abdominal. Este ejercicio activa y estimula el bajo abdomen. Échale un vistazo a tu libro de yoga.

Los incidentes por problemas con los lavados de colon y enemas son raros y sólo ocurren en casos extremos de negligencia y abuso. Conducir un coche también es peligroso y hay conductores imprudentes que son un peligro. Pero los buenos conductores, los que siguen las reglas, son cuidadosos y aplican su sentido común disfrutan de las ventajas de conducir sin riesgos. No es probable que tengas problemas si estudias y sigues la orientación de profesionales. Los beneficios de estas importantes técnicas de purificación sobrepasan con mucho los riesgos mínimos que implica.

Elementos diarios de un ayuno	
Limpieza	Enema. Diario, cada dos o tres días Lavado de colon. Semanal o dos veces a la semana
Masaje	Por un profesional Automasaje con una esponja vegetal
Andar	Al sol Tomar un baño de aire exponiendo la piel todo lo posible
Baños	Baño de vapor en el balneario Baño de sales de Epsom en la bañera
Dieta	Agua Zumo Infusiones Limonada caliente
Ejercicio	Respiración honda Yoga Paseo
Descansar	Meditación Siestas Sueño profundo

Perder peso

Las ventajas de ayunar

Los europeos tienen una forma fácil de distinguir a los turistas americanos. ¡Simplemente son los turistas gordos! Uno de cada cinco americanos tiene exceso de peso. Eso suma en total 90 millones de americanos, y no es que no lo hayamos intentado. Hay literalmente miles de dietas especializadas para perder peso. Los anuncios en las librerías y revistas están llenos de ellas. Pero ¿y qué? Ni un solo método tiene un éxito universal y duradero reconocido.

Qué pena, porque ayunar podría ser ese método único, si no se lo viese con malos ojos y como algo poco ortodoxo y radical. Cuando se trata de perder peso, el ayuno no tiene igual. Los resultados son espectaculares y duraderos. Pero no sólo eso, es completamente natural y superior a las pastillas y drogas con todos los efectos secundarios no deseados que éstas conllevan. Los únicos efectos secundarios que tienes ayunando es que, además de los kilos, te baja la tensión.

Cómo funciona

Para que el cuerpo siga teniendo energía durante un ayuno, utiliza sus reservas por orden inverso de importancia. Es decir, primero usa el tejido graso (adiposo), mientras que el tejido muscular esencial de los órganos y glándulas es lo último que usa. En los obesos, esto puede suponer hasta un 65 por 100 del peso corporal total. Este tipo de personas suele llevar mejor un ayuno largo una vez pasan el período inicial de adaptación. Cuando los recursos de grasa se agotan, vuelve el verdadero hambre y es hora de empezar a comer.

¿Qué puedes esperar?

La gente con sobrepeso puede esperar la mayor pérdida durante la primera semana. Cuanto más gordo estés, más perderás. Este beneficio compensa la dificultad de ayunar, que inicialmente es algo duro para la mayoría de la gente con sobrepeso. Después de eso, se va perdiendo peso gradualmente durante las siguientes semanas hasta que se estabiliza. La gente más delgada, por supuesto, pierde menos. Puede que no pierdas tanto peso como te gustaría, pero probablemente sea todo del que tu cuerpo está dispuesto a desprenderse en ese momento. En cuanto vuelvas a tener hambre, empieza a comer.

Por supuesto, este escenario variará según los casos. Los ritmos metabólicos varían de una persona a otra y existen variaciones incluso en la habilidad de cada individuo para utilizar las calorías. De esta manera, una comida que podría ser plenamente utilizada en el cuerpo de una persona podría acumularse en el de otra. Pero a la hora de perder peso rápidamente y desintoxicarse al mismo tiempo, no hay ningún otro método comparable al de ayunar. Cualquier cosa que hagas para ayudar a la desintoxicación también ayuda a la pérdida de peso. Para aquellos que ayunan sólo para perder peso, el efecto secundario es ¡una mejor salud!

Fundamentalmente, la obesidad indica alguna disfunción del metabolismo y/o digestión. Pero no hay ninguna dieta especial o pastilla que trate el sistema endocrino. El tiroides controla el metabolismo. Las glándulas suprarrenales controlan la reabsorción del sodio de los riñones causando retención de agua. El páncreas contribuye a la digestión de grasas y carbohidratos. Ayunar reduce la carga sobre estas glándulas así como la presión cardíaca, mejora la combustión y digestión de calorías además del alivio de las enfermedades asociadas a los excesos como la diabetes, la hipertensión, las úlceras, la anemia, el asma, etcétera.

Cierto, todos nacemos con ciertas predisposiciones y debemos aprender a vivir dentro de los confines de nuestro tipo corporal. Pero un ayuno prolongado puede recomponer ciertas pautas biológicas y ofrecer nuevas oportunidades a los que tienen exceso de peso.

9

Los efectos psicológicos del ayuno

¿Estás loco?

Ayunar es una experiencia que asusta un poco. La mera idea de no comer, de no ingerir comida después de toda una vida de comidas diarias, es una idea insólita. Es comprensible que este reto pueda provocarte miedo y quizá cuestiones a tu inteligencia por intentar llevar a cabo semejante plan.

También hay algunas cuestiones físicas que hay que tener en cuenta. ¿Es no comer una cuestión de vida o muerte? ¿No nos moriremos si no comemos? Si comemos de una forma tan consistente, ¿no será que lo necesitamos? ¿Qué pasará si paramos?

Si éstas son algunas de las preguntas que se te pasan por la mente, sería bueno poder recurrir a una pequeña dosis de apoyo externo, ¡pero no lo tendrás! Ayunar es una tarea muy solitaria. Es una forma de aislacionismo involuntario. Después de todo, ¿cómo puede uno moverse y socializarse si no en un mundo en el que todos los acontecimientos sociales se mueven en torno a la comida? La gente intentará ponerse en tu lugar, pero querrán persuadirte para que comas. Los que te quieren se preocuparán por ti. Los médicos, que entienden poco de ayunos, te cargarán con el peso pesado de su posición de autoridad para intentar crearte una mayor inseguridad sobre el ayuno y sabotear tus fuertes fundamentos.

Cuando empezaste este ayuno no te esperabas tener que lidiar con las inseguridades de otras personas, además de las tuyas. Pero eso es sólo la punta del iceberg. Cuando ayunas, no sólo es que estés medio loco, eres un marginado. Si aguantas, te darás cuenta muy pronto de que te enfrentas a un mundo comedor. Puede que los demás te ridiculicen o tal vez te envidien. Pero lo que te resonará en la cabeza serán los comentarios condenatorios, no los elogios. Cuando se ayuna, hay que tener firmemente arraigadas las convicciones y la seguridad en lo que estás haciendo.

Por eso analizamos el tema de la motivación. La motivación constituye tus raíces, que serán las que te arraiguen firmemente en el ayuno. Tener conocimientos y una orientación te aportarán la fuerza y seguridad necesarias para evitar que vaciles ante los primeros embates de la crítica y la intimidación. Si estás seguro de lo que estás haciendo, pronto te darás cuenta de que la gente tiene miedo de ti y de lo que representas. Estás realizando una declaración por medio de tus actos por la cual algunos te admirarán y te respetarán. Puede que incluso te conviertas para algunos en un mentor, un líder, alguien a imitar. Pero para otros serás el reflejo de su propia falta de valor y negligencia hacia sus propios cuerpos.

Tú les recuerdas aquéllo a lo que preferirían no enfrentarse y por eso se enfadan, como reacción defensiva para tapar sus inseguridades. Su respuesta es condenar en lugar de afrontar sus propios problemas.

Lleva un diario ～～～～～～～～～～～～～

Ayunar te convierte en un observador. Es como estar en otro huso horario. Te mueves a un ritmo diferente que el resto del mundo. De hecho, puede que te encuentres con que tienes demasiado tiempo. Al fin y al cabo, comer y dormir ocupan mucho tiempo y tú harás menos ambas cosas. Hace falta ajustar algunas cosas más aparte del ajuste físico de los primeros días.

Utiliza tu tiempo de forma productiva. Obsérvate a ti mismo: fíjate en cómo desaparece tu apetito. Observa cómo está tu mente sin su constante preocupación por la comida. Fíjate en cómo vuelve la sensación de vacío a tu intestino. En los ayunos largos, es muy importante llevar un diario porque ayuda a exteriorizar los sentimientos en lugar de simplemente guardar un recuerdo emocional de ellos.

Esto es especialmente importante en lo referente a romper el ayuno. Cuando se empieza a tener hambre, es algo sutil y puede ignorarse o confundirse con otra cosa. Hay una delgada línea entre el deseo mental/emocional y el hambre físico. Observa cómo cambia tu comportamiento. Observa cualquier enfado o resentimiento que tengas por no poder comer. Esa es la señal que te avisa de que debes parar el ayuno. Por otra parte, una actitud positiva hacia el ayuno hace que puedas seguir adelante durante un largo período. Tu interés o desinterés por la comida es crucial a la hora de determinar la duración del ayuno.

Ayunar le convierte a uno en un observador de sí mismo así como de los demás. Cuando la experiencia haya pasado, no sólo habrás cambiado, sino que además tendrás la oportunidad de ayudar a otros para que dejen sus malos hábitos. Todos somos víctimas de nuestra autonegligencia. Ayuda a tus conocidos a disipar sus temores. Convierte su ignorancia en conocimiento y su conocimiento, a cambio, ayudará a iluminar el mundo.

10

Salir del ayuno

Ayunar es fácil. Lo que es difícil es la transición de volver a comer. Cuando estás ayunando, estás «metido en una rueda». Igual que un corredor cuando supera el llamado «muro», una vez que empiezas podrías (teóricamente) seguir para siempre. La disciplina no es normalmente un factor necesario durante el ayuno, pero sí lo es para su inicio y es el factor principal a la hora de dejarlo.

Romper el ayuno

Cualquiera que tenga conocimientos sobre ayunos o que tenga una buena experiencia al respecto te dirá que romper el ayuno es la parte más importante de éste. Hace falta tener fuerza de voluntad para ello, ya que una vez que implicas a las papilas gustativas y despiertas tus jugos gástricos es como si estuvieras despertando a un gigante dormido, ¡y además, en este caso, se trata de un gigante hambriento! La bestia hambrienta dormida dentro de ti se despierta rápidamente y está dispuesta a devorar todo aquello comestible que abarque la vista. ¿Qué es esto?, te preguntarás. Estás avisado: el deseo de comida es el deseo que sentimos con mayor intensidad, ¡es incluso mayor que el deseo sexual!

Romper el ayuno es tanto la parte más dura del ayuno cuanto la más importante. Si no consigues reprimirte de comer demasiado y demasiado pronto, pagarás caro tu error. Perdón por el tono dramático, pero es también la parte más peligrosa del ayuno. Puedes hacerte más daño aquí que en cualquier otra etapa del ayuno. Las fatalidades, aunque sean pocas, se dan al terminar un ayuno.

Pero no te preocupes. Las estadísticas están a tu favor, y un accidente fatal es poco probable, aunque sí podrías causarte un gran dolor de estómago, uno que incluso te lleve al hospital. El estrés que pudieran sufrir tu corazón, tu hígado, tus pulmones y demás órganos vitales podría ser tan grande como para deshacer todo el beneficio de tu ayuno.

Por supuesto, si sólo vas a ayunar durante unos días, seguro que sobrevives a tus transgresiones. Pero en un ayuno largo, los de dos semanas, treinta días o más, el choque que pueden producir en tu organismo excesos repentinos puede llegar a provocar un ataque al corazón en algunos casos. Incluso terminar mal un ayuno de tres días puede acabar contigo tumbado con unas náuseas sobrecogedoras y un tremendo dolor de barriga si no eres capaz de ponerle freno a tu apetito.

Pedimos perdón por el melodrama, pero abundan las historias de ayunadores que han perdido el control y rompen su ayuno comiendo falafel, pizza, galletas y cosas por el estilo.

Te sientes genial mientras masticas: «Vaya, esto es como en los viejos tiempos. Puedo hacerlo». Después de todo, eres un profesional de la comida, es cierto, ¡pero ya no eres un profesional de la digestión!

Y no cometas el error de controlarte el primer día para luego caer el segundo. Garantizado, si rompes el ayuno, incluso uno relativamente corto, con pizza, no podrás volver andando a casa.

Saber cuándo dejarlo 〰〰〰〰〰〰〰〰

Melodramas aparte, antes de que podamos hablar sobre la manera adecuada de romper un ayuno, ¡tendrás que saber cuándo parar! De hecho, elegir el momento adecuado para dejar el ayuno puede marcar realmente una diferencia. Si te tienes que esforzar especialmente para «conseguir» hacer uno de dos semanas, por ejemplo, o «conseguir» hacer uno de un mes puede ser que te estés excediendo. A fin de cuentas, tu cuerpo no entiende de calendarios ni tampoco reconoce tu ego ni tus deseos de «presumir». Si te excedes más allá de tus límites podrías generar un efecto bumerán durante el período de reincorporación a la comida y acabar comiendo sin control.

La clave: escucha a tu cuerpo. Reconoce tu interés por la comida cuando lo tengas. Deja el ayuno cuando te vuelva el deseo de comida. Esto ocurre despacio y de una forma sutil. Al principio podría ocurrir como un deseo intelectual. Podrías encontrarte haciendo preguntas acerca de la comida que hay en el plato de un amigo, o tal vez diciendo: «Mmm... ¡Eso huele bien!». Déjalo. Recuerda: cuando uno está en la cima de su ayuno, no le interesa ningún tipo de comida en absolu-

Salir del ayuno

to, su mero olor le resulta repulsivo, así que, si no es así, lo mejor es parar.

Cualquier cambio intelectual de tu perspectiva anuncia un deseo auténtico de comida. Es una señal. También puede que te veas a ti mismo haciendo pequeñas trampas, como tomar pequeñas cantidades de pulpa con los zumos. Puede que te vuelva el deseo de masticar, por lo que podrías encontrarte masticando comida y luego escupiéndola. Todas ellas son señales. Puede que prefieras ignorarlas al principio, pero toma nota. Si vuelven a ocurrir, préstales atención. ¡Es hora de comer! Utiliza tu diario de ayuno para ayudarte a observar tu sentimientos, y luego hónralos. Si ignoras estas señales y dejas que el deseo se acumule dentro de ti, entonces las ansias te sobrepasarán y controlarán cuando finalmente empieces a comer. Saber cuándo parar marca realmente una diferencia y te permite terminar tu ayuno con autocontrol.

Hambre verdadera

El hambre verdadera, es difícil de ignorar. Cuando la tengas, lo sabrás. Si ignoras el hambre de verdad entonces es que no estás ayunando. Te estás muriendo de hambre. La inanición se produce cuando a tu cuerpo realmente le hace falta comida y no la obtiene. Esto es muy difícil que ocurra en el mundo de hoy, a no ser que estés en una isla desierta. Pero si, por ejemplo, estás haciendo un ayuno político y te niegas a darle comida a tu cuerpo, empezarás a sacar el alimento de los músculos y órganos. El proceso de inanición primero extrae el alimento de los órganos y tejidos menos importantes. Durante la inanición, el cuerpo quiere regenerarse y busca proteínas. Durante el ayuno, el cuerpo se limpia y elimina toxinas.

Programación

Puede que necesites romper tu ayuno debido a tu agenda. Por ejemplo, si eres actriz y los ensayos para una nueva función van a empezar pronto, deberías programar la ruptura de tu ayuno con tiempo suficiente para reconstruir tu dieta y tu resistencia. O si tienes alguna boda a la vista a la que tienes que ir, es necesario que dejes suficiente tiempo para reconstruir tu capacidad de asimilar los excesos típicos de una celebración de boda. ¡No esperes a que queden sólo dos días! Las tentaciones en una ocasión así son extraordinarias. Programa la ruptura de tu ayuno con el tiempo adecuado para reconstruir tu dieta.

Una última precaución: evita terminar tu ayuno durante un período de máximo malestar. Puede que estés sobrellevando una crisis de purificación y lo sabio es completar el proceso antes de reintroducir la comida. Puede que tengas dolor de cabeza, fiebre, náuseas, sudores, urticaria, etcétera. Generalmente, la regla es esperar hasta que te sientas mejor antes de empezar a comer.

El camino de vuelta

Fase 1

De acuerdo, así que, ¿qué hay para comer? Los ayunos deberían romperse con comidas suaves con alto contenido de agua. Normalmente, quiere decir frutas jugosas, pero no es obligatorio. Podría ser una sopa ligera, brotes de verduras de hojas o una mezcla preparada. Pero antes de que empieces siquiera a considerar los alimentos sólidos, comienza dándole vida a los zumos. Ahora es el momento de dejar de colar y de devolverle el sedimento a los zumos. Échales polvo de espirulina, clorela y levadura nutricional con buen sabor. Disfruta de las leches de frutos secos hechas de almendras, girasol o sésamo. Estos alimentos en polvo altos en proteínas y ricos en nutrientes ayudan a estimular el apetito y a preparar a tu sistema para las comidas sólidas, más pesadas. Si estos alimentos te resultan satisfactorios, puedes optar por alargar tu dieta consumiéndolos durante uno o dos días más. Luego, cuando estés preparado, haz el cambio a los alimentos sólidos.

El alimento básico más popular a la hora de romper un ayuno es la sandía. El pomelo le sigue de cerca en segunda posición. Las naranjas, las uvas, las manzanas, las peras, las piñas, los melones (como el cantalupo o el *crenshaw*), la papaya y el mango son unos estupendos alimentos primarios. Los melocotones y los albaricoques son un poco más pesados, pero pueden tomarse en comidas sucesivas. Lo mismo puede decirse de los tomates (técnicamente una fruta), los pepinos y los pimientos verdes, todos ellos verduras con un alto contenido en agua. Si tienes un fuerte deseo desde el principio de tomar ensaladas o verduras, controla tus ansias tomando brotes de verduras con hojas y sopa. Los brotes de verdura como los de alfalfa, trébol, girasol, alforfón, nabo, repollo, fenugreco, ajo, cebolla y rábanos son excelentes. Incluso puedes usar una pequeña cantidad de brotes de alfalfa como primer alimento para romper el ayuno. Primero empieza más o menos con dos brotes individuales y luego añade más si te sientes a gusto. Es sorprendente lo inmensamente satisfactorios que resultan unos pocos brotes tras un ayuno. Pero no tomes brotes de judía tales como los de mung, soja, lentejas, adzuki, guisantes verdes, cacahuetes o garbanzos. Estos brotes se parecen mucho a las judías y para tomarlos hay que cocinarlos y tener una fuerza digestiva normal.

Las sopas pueden resultar muy satisfactorias durante las primeras comidas, aunque no deberías romper un ayuno con ellas. Los caldos que colabas durante el ayuno puedes tomarlos ahora con el sedimento vegetal. Se puede añadir pasta de miso y, si tienes muchas ganas de tomar patatas o cereales, se puede preparar una sopa ligera de la siguiente manera: cuece arroz con agua abundante. Cuando esté hecho, utiliza el agua que sobre como base de tu sopa. Incluso puedes dejar entre seis y diez granos de arroz en ella. A continuación, añade tu mezcla de caldo de verduras, la pasta de miso, ajo, etcétera. La sopa picante es muy alimenticia y, si quieres hacerla más picante, añádele un poco de cayena. La cayena estimula la circulación y fortalece el estómago. Puedes hacer una sopa con base de patata de la misma manera, hirviendo las patatas y usando el caldo de base. Mezcla un pequeño currusco de pan de nuevo en el agua para fortalecer la base. A medida que vayan pasando los días, podrás mezclar mayores cantidades de patata y de arroz, siempre y cuando tu estómago no te envíe un borboteante mensaje de que pares.

Hasta aquí, el plátano ha estado excluido de nuestro menú. Normalmente se evita durante las primeras comidas porque es una fruta con un contenido bajo en agua y alto en almidón. Escoge plátanos de color amarillo vivo, mejor si tienen pintitas marrones, y mézclalos con zumo de manzana.

Ahora estamos incrementando el contenido en agua de la comida. Empieza con medio plátano y ve subiendo. Si disfrutas de este batido pero quieres masticar, espera unas pocas comidas y prueba entonces a comer el plátano sólido masticando, pero empezando de nuevo sólo con medio.

Los batidos pueden aportar todo un menú de posibilidades para los que van a tomar de nuevo comida sólida por segundo o tercer día. Puedes añadir *slippery elm* (*ulmus fulva*), flax y chía a la mezcla de plátano, y zumo de manzana para obtener una bebida más espesa y con más sabor. Además, el *slippery elm* actúa como calmante para las inflamaciones de estómago o del tracto digestivo, y la chía y el flax permiten recomenzar la actividad peristáltica en los intestinos. Todos ellos crean un mucílago o gel, tienen un sabor a almendras y son muy nutritivos.

Otros alimentos que faltan en el menú son los frutos secos. Éstos tienen poco contenido de agua y mucho de fibra y azúcar difíciles de digerir. Sin embargo, ciertos frutos secos son suaves y fáciles de digerir cuando se reconstituyen. Los higos, las pasas y las ciruelas pasas son excelentes en forma reconstituida, después del primer o segundo día de comida.

Típicas primeras comidas para romper un ayuno		
Brotes	*Sopas*	*Verduras*
Alfalfa	Miso	Tomate
Trébol	Consomé	Pepino
Alforfón	Patata	Pimiento
Girasol		
Fenugreco		
Chía		

Frutas	Batidos
Sandía	Plátano
Papaya	Manzana
Pomelo	Chía
Naranja	Levadura
Manzana	Girasol
Melocotón	Sésamo
Piña	*Slippery elm*
Melón cantalupo	Psilio
Otros melones	Flax
Mango	Espirulina
Uva	Clorela

La cantidad y la forma

La cantidad y la forma de consumir algo son sumamente importantes. Puedes tolerar una gran variedad de alimentos y permitirte transgresiones menores si los tomas en pequeñas cantidades. Recuerda, tu estómago está dormido. Las glándulas que producen los jugos gástricos están relajadas y, por así decirlo, fuera de producción. De hecho, durante el tiempo que no has estado comiendo, ¡tu estómago ha encogido! Cuanto comas y cómo lo comas es algo crítico en este momento. Puedes despertar al gigante dormido con un fuerte golpe... o con el aroma de una rosa.

Primero asegúrate de que estas sentado cuando comes. La digestión no se realiza igual de bien cuando estás de pie o en movimiento. En segundo lugar, hazlo todo despacio y a conciencia. Mastica tu zumo. Toma la sopa a sorbitos. Las primeras comidas deberían tomarse como si fueran néctar de los dioses. Después, descansa o reclínate manteniendo las cabeza y los hombros más altos que el estómago.

Descansa ante la primera señal de cansancio. Nunca aceleres el proceso de realimentación. Refrénate de volverte ansioso o impaciente. No fuerces a tu cuerpo a que recupere una energía total. Modera tu reimplicación en la actividad física. Recuerda, aunque hayas empezado a comer, en esta fase temprana todavía se prolonga el proceso de purificación llevado a cabo durante el ayuno. Esta es la parte más importante de todo el ayuno. La forma en que reintroduces la comida se vuelve más crítica cuanto más tiempo hayas ayunado. A medida que empiecen a volver las sensaciones de los sabores, vigila las cantidades. No dejes que te venzan ni la ansiedad por la comida ni los planes laborales. Escucha a tu estómago. Si oyes un gorgoteo o tienes gases, tómatelo como una señal para bajar el ritmo o tomar comidas menores.

Cebando la bomba

Volver a poner las glándulas en marcha es un proceso gradual. La palabra clave es la siguiente: mordisquea. Aliméntate como si fueras un bebé. Toma pequeñas cantidades regularmente, cada hora o dos. Márcate un programa y síguelo. Medio pomelo a las 8,00, una naranja a las 9,30, una manzana a las 11,00, un batido a las 12,00, etcétera. Diseña un menú para todo el día y el siguiente. Síguelo.

No te olvides de tomar mucha agua entre horas e incluso un zumo de verduras. Limítate a tomar los alimentos solos y evita las combinaciones. Cada pequeño mordisco envía señales a través de tu sistema nervioso, estimulando el flujo de las enzimas digestivas. Incluso si eliges hacer una monodieta, estará bien. Simplemente toma las manzanas, por ejemplo, regularmente y aumentando progresivamente la cantidad.

También puedes estimular las glándulas digestivas con hierbas como la canela y la menta o con semillas como el clavo y las de alcaravea. Tomar una bebida de miel y vinagre te ayudará a estimular la secreción de ácido clorhídrico. Echa una cucharada de miel y dos de vinagre de sidra de manzana en agua y tómatela diluida a tu gusto antes de las comidas. Respira hondo antes de empezar a comer para aportarle también oxígeno a tus células y estírate para despertar todo tu cuerpo.

Alimentos y suplementos que estimulan el sistema digestivo	
Canela	Cardamomo
Menta	Hinojo
Regaliz	Apio
Anís estrellado	Vinagre de miel
Alcaravea	Suplementos de ácido clorhídrico
Clavos	Suplementos de enzimas
Jengibre	

¿Qué es la fase 1?

La fase 1 se refiere al período inicial después del ayuno en el que se toma comida por primera vez. Aquí, la labor esencial es reestimular los órganos digestivos hasta el punto de que puedan digerir razonablemente modestas cantidades de comida. Se toman alimentos suaves, de baja densidad y un alto contenido de agua como las frutas, algunas verduras, brotes, sopas ligeras y batidos de proteínas en polvo.

El tiempo requerido para reconstruir el sistema digestivo puede llevar desde un día a una semana, dependiendo de la duración del ayuno, y durante él hay que tomar alimentos suaves y fáciles de digerir, con un alto contenido de agua. Durante un ayuno de diez días, por ejemplo, los primeros cinco de postayuno se considerarían *fase 1*. El período que abarca del sexto al décimo día, constituiría la *fase 2*, en la que se seguiría un régimen de alimentos más densos. La fase desde el undécimo día hasta el decimoquinto sería el período de postrealimentación, en el que la alimentación vuelve en gran medida a la normalidad.

Ampliar el plan de comidas

Fase 2

La *fase 2* empieza partiendo de la premisa de que hemos vuelto a poner en marcha al sistema digestivo y, por tanto, se pueden consumir cantidades razonables de comidas ligeras.

El objetivo del plan de comidas de la *fase 2* es ampliar el régimen alimenticio para incluir alimentos más complejos y variados. La *fase 1* se centra en la cantidad y la *fase 2* en la variedad. La *fase 2* supone la transición desde el ciclo de purificación iniciado con el ayuno hasta el ciclo de construcción; es decir, desde el ciclo catabólico al anabólico.

Pero esto también lleva tiempo y debe llevarse a cabo gradualmente. En su mayor parte, una vez que has llegado a la *fase 2*, estás «fuera de peligro». Desde aquí en adelante, es poco probable que puedas dañar seriamente a tu sistema digestivo o, en general, a tu salud comiendo alimentos equivocados. Sin embargo, esto no es motivo para excusar los malos hábitos alimenticios. Todavía puedes tener gases que te provoquen terribles dolores y arruinar los efectos positivos generales del ayuno por haber hecho trampas en este punto.

El alimento predominante durante esta fase es la ensalada. Dominan los vegetales de hojas grandes y los brotes. Las grasas son introducidas en las *fase 2*, pero sólo en forma de aceitunas, aceite de oliva, aguacate y frutos secos o semillas y, aun así, no desde el principio. Los tomates, las aceitunas, el aderezo de aceite de oliva y limón, los aliños de tamarindo y otros hechos a base de semillas de sésamo, girasoles, tofu y aguacate son algunos de los alimentos de los que puedes disfrutar. Pero, para empezar, la primera ensalada deberías tomarla a secas, sin aliño.

Las frutas todavía son una parte de la *fase 2*, pero sin restricciones en lo referente a la cantidad y la variedad. Ahora puedes tomar los frutos secos sin reconstituir, aunque deberías mantener alguna restricción en cuanto a la cantidad, debido a su alto contenido en fibra y azúcar.

En este punto puedes ya disfrutar en pequeñas cantidades de las nueces y las semillas. Usa las almendras y las pipas de girasol como un condimento en las ensaladas o mézclalas con batidos o aliños.

Las sopas pueden ser un poco más densas con más verduras y con cantidades ligeramente mayores de arroz o patata mezcladas en el caldo. Puedes tomar con la sopa vegetales marinos como el hijiki, el dulse o el alga marina, o añadirlos en las ensaladas.

El régimen de la *fase 2* es más amplio y más liberal, pero también tiene sus restricciones. Nada de verduras cocidas (aparte de las que van en las sopas), nada de judías o cereales, incluido el pan, y nada de productos lácteos o animales. Estos productos serían parte de la *fase 3* o de los días undécimo a decimoquinto en nuestro ejemplo de un ayuno de diez días.

Alimentos de la fase 2	
Espinacas	Condimentos
Lechuga	Aceite de oliva
Tomate	Almendras
Aceitunas	Semillas de sésamo
Aguacate	Girasol
Brotes	Tofu
Dulse	Frutos secos
Alga marina	Sopas de verduras
Hijiki	Alimentos de la fase 1

Transición de vuelta a una dieta completa

Fase 3

La *fase 3* básicamente significa el principio del fin del ayuno y un período de vuelta a la alimentación. Sin embargo, si se siguen las directrices, uno puede prolongar los beneficios del ayuno y evitar un regreso rápido a los dañinos vicios alimentarios que nos empujaron en primera instancia a hacer el ayuno.

La *fase 3* inicia la reanudación del consumo de cereales, vegetales con almidón y alimentos cocidos. Ahora es cuando puedes sentarte y tomar un cuenco de arroz o una patata hervida. Las verduras al vapor como el brécol, las judías verdes, los calabacines, los brotes de judías, etcétera, son algunos de los alimentos de los que podrás disfrutar. No hay restricciones para los frutos secos y las nueces, salvo aquéllas que te dicte tu sano juicio. Tienes totalmente permitidos los panes y los cereales. Puedes volver a consumir productos lácteos y animales, aunque confiamos en que lo harás juiciosamente. Recuerda, los alimentos lácteos y los que tienen un alto contenido de grasa atascan el sistema digestivo. Deberías evitar los alimentos muy fritos como las patatas fritas, y los quesos con alto contenido en grasa deberías tomarlos con moderación. Las comidas con azúcar añadido deberías tomarlas lo mínimo imprescindible, y deberías evitar tomar comidas con sustancias químicas y artificiales, como aromatizantes y colorantes. Puedes arruinar pronto y fácilmente el trabajo duro y los beneficios de tu ayuno si repites las malas prácticas alimentarias.

Quiénes no deberían ayunar

Ayunar está muy bien, pero no todo el mundo debería hacerlo. Ayunar inicia al cuerpo en un ciclo de purificación y eliminación. Le echa el cierre a unos cuantos procesos fisiológicos para darles un merecido descanso. Pero esas circunstancias podrían no encajar con las necesidades de cada persona y de cada situación.

Estas son algunas de las personas que no deberían practicar ayuno:

- las mujeres embarazadas
- las madres lactantes
- los niños en edad de crecimiento

- la mayoría de los ancianos
- la mayoría de los hipoglucémicos
- los diabéticos
- todos aquellos que adolecen de:
  - una enfermedad crítica
  - una medicación continuada
  - falta de peso
  - tuberculosis
  - una enfermedad cardíaca avanzada
  - una disfunción renal

Por supuesto, siempre hay excepciones, incluso con los arriba mencionados. Pero si no estás seguro, consulta con un profesional de la salud que sepa acerca del ayuno. La supervisión profesional debería ser obligatoria antes de seguir un ayuno en cualquiera de los estados arriba mencionados. Los hipoglucémicos, por ejemplo, podrían beneficiarse profundamente de un ayuno o dieta a base de zumos, pero, debido a que su nivel de azúcar en sangre, y por tanto su nivel de energía, bajarían drásticamente al no comer, sería necesaria la supervisión de un profesional.

11

Ayuno espiritual

Se dice que el ayuno hace algo más que curar el cuerpo. Cura el alma. Restaura la armonía que hay entre la psique y el cuerpo y sintoniza al individuo con sus metas y su entorno. Cuando tu cuerpo empieza a sanar, es una experiencia espiritual, realmente un milagro. Te ves de golpe iniciado en los secretos de la naturaleza. Cuando el cuerpo se limpia, la mente se aclara. Recuerdas tu conexión con tus semejantes, el planeta y el universo. Es una experiencia esclarecedora. Herbert Shelton, el padre del ayuno, dijo: «La libertad y soltura que se experimenta durante la abstinencia le permite a uno descubrir nuevas profundidades del significado de la vida con las que ni había soñado».

Gente religiosa de todas las creencias incluyen el ayuno en sus prácticas. Los hindúes y los judíos, dos de los grupos religiosos más antiguos, mantienen la importancia de los días de ayuno en la observancia de ciertas fiestas religiosas. Se abstienen no sólo de la comida, sino del trabajo. Durante el mes del Ramadán, los musulmanes no pueden comer ni beber entre la salida y la puesta del sol. Estas fes tienen, como parte de su teología, la creencia de que el ayuno beneficia tanto al cuerpo como al alma y que acerca más a los discípulos a Dios, a Krishna o a Alá.

Los yoguis creen que el cuerpo es el templo en que viven y luchan para mantenerlo puro a través de una dieta adecuada, unas técnicas de limpieza y purificación, unos ejercicios de hatha yoga y un ayuno periódico.

El cristianismo también tiene unas raíces en las que se contempla el ayuno. Jesús, en sus palabras tomadas del *Evangelio de los Esenios*, aconsejaba a sus seguidores que se purificaran: «Purificad, por tanto, el templo para que el Señor del templo pueda habitar bien en él y ocupar un lugar que sea digno de él. Renovaos y ayunad. Porque en verdad os digo que Satanás y sus plagas sólo pueden ser expulsados por medio del ayuno y la oración. Aléjate solo y ayuna sin demora, y no le muestres tu ayuno a ningún hombre. El Dios viviente lo verá y grande será tu recompensa. Y ayuna hasta que Belcebú y sus males se vayan de ti y todos los ángeles de nuestra Madre Terrenal vengan a verte. Porque os digo, ciertamente que, salvo que ayunéis, nunca os veréis libres del poder de Satanás y de todas las enfermedades que provienen de Satanás. Ayunad y orad fervientemente, buscando el poder del Dios viviente para vuestra cura».

El verdadero ayuno espiritual es como la meditación. Idealmente, se practica en silencio: nada de comer, nada de hablar. Estás solo con tus pensamientos y, finalmente, cuando alcanzas la paz total, incluso éstos se evaporan. La dieta no es el tema. El peso no es el tema. La disciplina, el crecimiento espiritual y la expansión de la conciencia lo son todo. La comida te conecta con tu cuerpo y con la tierra. Ayunar deja fluir tu espiritualidad. Puede que incluso descubras algunas habilidades psíquicas en ti gracias a que los desechos de alimentos sin digerir y demás materias no interfieren más con tus conexiones nerviosas, y tus energías vitales están libres para centrarse en tus *chakras* (centros de energía) superiores en lugar de en tu estómago. Conquistar tu apetito y tus deseos te permite enfocar tus pensamientos hacia el descubrimiento del «cielo» que llevas dentro.

12
La fuerza que construyó al cuerpo también puede sanar el cuerpo

La cabeza está más clara, la salud mejor, el corazón más ligero y el monedero más pesado.

Clérigo escocés, hacia 1800

Si no se supiera que estas palabras las pronunció un clérigo escocés hace unos 200 años, podrían interpretarse como una referencia a una droga o a una sociedad utópica. Desgraciadamente, el ayuno gozaría de mayor popularidad si fuera un droga. ¿Puedes imaginarte una pastilla que te diera el poder de sanarte, que limpiara y reforzara tu cuerpo, refrescara tu alma y renovara tu espíritu? Una pastilla así se vendería a cualquier precio. Irónicamente, ayunar no «vende», aunque es gratis. Sin embargo, ¡qué herramienta más sublime y poderosa albergamos en nuestro interior! Incluso más que una herramienta es una capacidad, un poder que está a nuestra disposición en cualquier momento. Para activarlo, deja de comer. Es simple y efectivo y, sin embargo, debido a la ignorancia, el miedo y a la falta de disciplina, dejamos que este poder permanezca dormido durante la mayor parte de nuestra vida. Qué triste. Llevamos esta «fuerza» en nuestro interior, pero nos olvidamos de usarla.

¿Por qué? Ayunar requiere valor. Requiere fuerza de voluntad, seguridad y conocimiento. Estos valores son la gasolina de tu viaje hacia el ayuno. Ayunar quiere decir que pones tu propia salud en tus manos. Esto asusta a la mayoría de la gente y, por tanto, se requiere valor y fortaleza. Es verdad que no siempre es fácil de hacer pero, en la mayoría de las ocasiones, es más sencillo de lo que parece. De hecho, es más fácil ayunar que comer e, irónicamente, ¡es más nutritivo!

El ayuno a base de zumos, el ayuno que hemos estado viendo, aporta cantidades más altas y más concentradas de vitaminas y minerales que la comida sólida, y permite un porcentaje más alto de asimilación. De esta forma, tus células reciben de hecho más alimento de los zumos que de la comida. Después de todo, lo que importa no es cuánto consumes, sino cuánto utilizas de lo que ingieres. Las vitaminas, minerales, enzimas, proteínas vivas, hormonas de ADN y ARN y demás misterios de la naturaleza están todos ahí, en las frutas y verduras. Desgraciadamente, nuestros sistemas son tan ineficientes que normalmente se desechan más nutrientes de los que se asimilan. Nuestra habilidad para asimilar la comida que tomamos se ve reducida por tener el tracto digestivo atascado, por tener órganos ineficientes y por tener un sistema digestivo sobrecargado.

Por otro lado, cuando bebes zumo, te saltas las primeras secciones del tracto digestivo, así que incluso aquellos con mala digestión son capaces de absorber un 95 por 100 de la nutrición que llevan. Los zumos crudos aportan nutrientes microscópicos «predigeridos» que las células y los tejidos necesitan. De hecho, hay más alimento en cualquier zumo de verdura que en un plato de ensalada. ¡Está concentrado! Mientras que nunca podrías consumir de golpe medio kilo de zanahorias, sí que puedes beberte fácilmente un vaso de zumo hecho con medio kilo de zanahorias (aproximadamente 280 gramos de zumo). Sacas de ello más alimento y más rápido. ¡El ayuno a base de zumos es lo más parecido a hacerse una transfusión, pero sin pinchazo!

Como si esto no fuera suficiente, todos los estudios de longevidad muestran que la alimentación frugal promueve la salud y prolonga la vida. Lo que te pierdes de los placeres de la comida lo ganas en las alegrías de vivir y sentirte mejor. Ayuna y aguzarás tu inteligencia, aumentarás la sensación de juventud, irradiarás belleza natural, serás consciente de tu propia espiritualidad y sintonizarás con vibraciones mayores. En el mundo de hoy, realmente necesitamos el ayuno. Uno no puede continuar viviendo este estilo de vida acelerado, muy estresado, demasiado permisivo, y a la vez exigente, sin darle a su cuerpo y a su mente la oportunidad de descansar. El sueño no siempre puede aportarnos esto. La gran diversidad de sueños, pesadillas, temores y neurosis son la prueba. El cuerpo tiene que relajarse y recuperarse con su propia vacación fisiológica.

Irónicamente, es el miedo lo que nos impide ayunar. Tenemos miedo de que si paramos la rutina familiar de alimentar a nuestros cuerpos nos moriremos de hambre o nos pondremos enfermos. Aquéllos que no tienen conocimientos sobre el ayuno lo equiparan a morirse de inanición. Aunque parezca sorprendente, el cuerpo humano puede vivir sin

Sanar el cuerpo

comida durante un período increíblemente largo de tiempo. De hecho, en lugar de sentirse débil y enfermo, podría muy bien sentirse más energético. Es una paradoja, pero ayunar crea eficiencia. El aforismo: «vísteme despacio que tengo prisa» también tiene razón en este caso. En el caso del ayuno sería: «para comer más, come menos». Después de un ayuno, el tracto digestivo está limpio y puede asimilar mucho mejor los nutrientes cuando se vuelve a comer.

Por supuesto, hay formas de ayunar bien y formas de ayunar mal. Puedes embrollarlo todo igual que nuestro amigo que rompió al ayuno comiendo falafel. La educación es absolutamente necesaria. Empieza despacio con un ayuno corto para mojarte los pies y afianzar tu seguridad antes de tirarte de cabeza, o asegúrate de que cuentas con una orientación profesional. La seguridad es crucial a la hora de ayunar. Puede suponer la diferencia entre un ayuno fácil y uno lleno de miedos. Estudia. Ve a conferencias. Escucha cintas. Busca consejo. Habla con otros más experimentados que tú. Intenta conocer a la gente de tu barrio que lo practique y lee, lee, lee. En última instancia, ayunar es una experiencia muy personal y sólo puede adquirirse con la práctica en uno mismo. Esta es la más poderosa de todas las herramientas para limpiarte y está a tu disposición en cualquier momento si sabes cómo utilizarla.

Lo ideal es que el ayuno fuera una costumbre que formara parte de nuestra cultura. Todo el mundo debería ayunar (salvo las excepciones enumeradas en las páginas 153-154), de la misma forma que todo el mundo debe limpiar su casa. Irónicamente, a menudo son las personas que tienen su casa meticulosamente limpia las que son más culpables de descuidar sus cuerpos. Los yoguis piensan en su propio cuerpo como en su templo. Cuánto mejor estaría la salud nacional si limpiáramos nuestro cuerpo una vez a la semana de la misma forma que limpiamos nuestras casas. Un ayuno de un día a la semana es un regalo de aire fresco y relajación para el cuerpo. Suma en total 50 días de ayuno al año. ¡Una técnica tan sencilla puede prolongar tu vida! Se nos da muy bien limpiar nuestras casas, ya sea una vez a la semana, al mes, por medio de la limpieza general de primavera, de invierno, al cortar el césped, barrer las hojas caídas del jardín, sacar el polvo, abrillantar, envolver lo que guardamos, etcétera. ¡Cuánto cuidado le dedicamos! Si fuéramos capaces de dirigir algo de ese sumo cuidado a nuestras casas *interiores*...

Tal vez deberíamos pensar en ello como en un negocio. Ayunar es una pequeña inversión que te devuelve las ganancias multiplicadas por mil. Es un seguro físico. Los únicos costes de puesta en marcha son la eliminación de los miedos y de la ignorancia.

Aunque estamos hablando sobre el ayuno, el auténtico asunto aquí es la salud. Ayunar es el método. La salud es la meta. La filosofía propugnada aquí es sencilla: come bien, vive bien y respeta tu cuerpo. Así que, cuando hayas ayunado y esté todo hecho, recuerda la filosofía. Aunque sea tan maravilloso ayunar, no es una varita mágica, y el haber hecho un ayuno corto hace mucho tiempo no tiene ningún significado para tu salud actual. Haz que ayunar se convierta en una parte de tu programa global de salud, que debería incluir una dieta adecuada, ejercicio, descanso, aire limpio, agua y sol, así como la eliminación de malas costumbres como fumar, atiborrarse de comida, el exceso de dulces, alcohol, café, etc. Si estos conceptos de una salud mejor encajan en tu filosofía, entonces descubre el ayuno. Ayuna y tu mente se aclarará, tu actitud mental mejorará y tu autoestima se verá aumentada. Cada día te levantarás sintiéndote más joven y más fuerte. Es un regalo y está disponible desde ahora mismo. Date ese regalo. Escoge el camino del ayuno hacia la salud.

Resumen

Los principios básicos del ayuno

Motivación: razones para ayunar

- Desintoxicación
- Pérdida de peso
- Sanar
- Razones espirituales
- Romper adicciones
- Razones políticas/sociales
- Problemas dentales

Estados en los que ayuda el ayuno

- Alergias
- Asma
- Alergia al polen
- Urticaria
- Migrañas

- Obesidad
- Insomnio
- Hipo e hipertensión
- Acné
- Reumatismo
- Úlceras
- Problemas hepáticos
- Cálculos biliares
- Estreñimiento
- Diarrea

Criterios para elegir la duración del ayuno

- La experiencia ayunando
- El estado y la fortaleza físicos
- La naturaleza de la enfermedad, si la hay
- La dieta previa y el nivel previo de toxicidad
- La edad y la actitud mental
- El programa de trabajo y de actividades
- El entorno y el clima

Prerrequisitos para hacer un ayuno a base de agua

- Experiencia previa o tener orientación profesional
- Aversión a los zumos y otros líquidos
- Mucho descanso. Un entorno sin estrés
- Guardárselo para uno mismo. Silencio, si es posible
- Evitar la televisión y la radio
- Hacer yoga o estiramientos suaves
- Tomar el sol y darse baños minerales
- Tumbarse en la hierba

- Meditar
- Respirar aire limpio y fresco, un clima cálido
- Leer libros sobre ayuno, salud o temas espirituales

Qué mezclar en tus zumos de fruta y verdura

ZUMO DE ZANAHORIA
Zanahoria
Remolacha
Pimiento verde
Pepino
Alfalfa
Corteza de sandía
Manzana
Jengibre

ZUMO DE VERDURAS
Apio
Espinacas
Tomate
Repollo
Eneldo
Limón
Ajo
Cayena

ZUMO DE FRUTAS
Piña
Naranja
Pomelo
Sandía
Manzana
Pera
Uva

Otras bebidas sin zumo

Algunas de estas recetas hay que colarlas y tomarlas con moderación:

- Leches de almendra, sésamo y girasol
- Caldos de verdura
- Zumo de hierba de trigo

- Polvos de clorofila (de espirulina, clorela o alga azul-verde) mezclados con zumos
- Levadura nutricional
- Limpiador colónico de psilio
- Oxigenador colónico de Homozone

Infusiones que facilitan la digestión

- Menta
- Canela
- Menta verde
- Jengibre
- Regaliz
- Bardana

El color de la comida y su efecto recuperador

- Rojo: para la circulación
- Naranja: antiespasmódico
- Amarillo: para los nervios
- Verde: purificador de la sangre
- Azul: espiritual/mental

Técnicas de desintoxicación

- Masaje
- Cepillado de aire
- Baños de sales de Epsom
- Baños de vapor
- Lavados de colon, enemas
- Bebidas laxantes aglutinantes de psilio o flax
- Ejercicio

Órganos de eliminación

- Pulmones
- Piel
- Riñones
- Ojos
- Hígado
- Colon
- Lengua

Síntomas de un proceso de recuperación

- Erupciones
- Eczema
- Acné
- Náuseas
- Debilidad
- Mareos
- Sofocos
- Fatiga
- Bronquitis
- Asma
- Dolor de cabeza
- Desfallecimientos
- Fiebre
- Diarrea
- Dolores musculares
- Mal aliento
- Congestión nasal
- Hemorragia nasal
- Pulso cardíaco irregular
- Menstruación irregular

Ejercicios de ayuno

- Yoga
- Paseo
- Aeróbic
- Natación
- Respiración profunda
- Bicicleta
- Cama elástica

Señales que te indican que tienes que interrumpir el ayuno

Aplicables a los ayunos de una semana o más:

- Deseo de comida
- Curiosidad por lo que comen los demás
- Deseo de masticar
- Atracción hacia los aromas
- Un programa agitado o estresante
- Deseo de proteínas
- Deseo de bebidas más contundentes y ricas
- Ansias
- Verdadera hambre

Cómo comprar una licuadora

Estés siguiendo un ayuno o no, una licuadora de fruta y verdura puede llegar a convertirse en el aparato de nutrición más importante de tu casa. Sólo como dispensador de vitaminas y minerales comprobarás que con este aparato te ahorras cientos de euros al año con respecto a lo que te gastarías comprando los productos equivalentes en las tiendas. Y eso por no mencionar lo bien que lo pasareis tu familia y tú usándola.

Es una máquina mágica mitigadora de la sed que saca por arte de magia todo tipo de sabores y colores para interesar incluso a los miembros de la familia más fanáticos de los refrescos artificiales. Si eres un buscador-de-salud, este aparato será como tu farmacia y tu botiquín personal para cualquier achaque que tengas.

El precio de las buenas licuadoras generalmente oscila entre los 125 y los 300 euros, con excepciones, claro. Las máquinas de menos de 125 euros son, a menudo, productos de fabricantes de grandes electrodomésticos (como *Sunbeam, General Electric, Westinghouse* y *Sanyo*, por nombrar unos pocos), que hacen gamas completas de productos de cocina y/u otros aparatos. Algunas compañías (como *Sanyo* y *Sony*, por ejemplo), son conocidas fundamentalmente por sus equipos de música, pero se han expandido y fabrican otros aparatos como las licuadoras para aprovechar su popularidad.

Muchos de estos productos son máquinas multiusos que también baten, mezclan y procesan, además de licuar la comida. Este tipo de aparatos existen frente a las máquinas especializadas que sólo licúan. Los aparatos multiusos son invariablemente las peores licuadoras. Como advertencia general: si trocea, corta en rodajas y, además, suena en estéreo, no la compres.

Courtesy Omega Juicers, Inc.

Distintos sistemas de licuado ~~~~~~~~~~

- Fuerza centrífuga
- Trituración
- Doble engranaje
- Engranaje de tornillo.

En lo que se refiere a la extracción de nutrientes, hay cuatro tipos de sistemas de licuado.

El primero de ellos se conoce comúnmente como «centrífugo» porque usa la fuerza centrífuga. Las verduras, cortadas en pequeños trozos, dan vueltas en un tambor a alta velocidad (3.000–7.000 r.p.m.) y el zumo es extraído por el mero poder de la fuerza centrífuga. Este es el mismo sistema por el que la ropa mojada suelta el exceso de agua en una lavadora durante el ciclo de centrifugado. Es el principio básico de la fuerza centrífuga.

El segundo método es conocido como «trituración», y funciona mascando y rajando las verduras y luego presionando la pulpa rajada sobre una pantalla con la presión de un cuchillo rotador. La trituradora funciona a una velocidad menor (1.750 r.p.m.) y tiene una exposición mucho menor al aire. No bate nada. Dado que la alta velocidad del movimiento centrífugo en las licuadoras centrífugas crea una mayor oxidación (destrucción de nutrientes), las trituradoras tienen unos niveles de nutrición más altos que aquéllas. Otra diferencia importante tiene que ver con la forma en que corta cada aparato. Las trituradoras clavan en las verduras unos dientes no muy afilados, mientras que las máquinas centrífugas las cortan en trocitos usando unas cuchillas afiladas. El proceso de rajado está pensado para abrir las membranas vegetales dejando con ello al descubierto los nutrientes y las enzimas para su extracción. Las cuchillas de una licuadora centrífuga cortan las verduras en trocitos pequeños que, al menos en teoría, no penetran tan profundamente. Esta es la diferencia controvertida pero esencial entre los dos métodos.

Otro método es el viejo y fiable engranaje de tornillo. Muchas de estas licuadoras son aparatos hechos de hierro, similares a las viejas picadoras manuales de carne que tuvieron tanto éxito a mitad del siglo xx. Estas máquinas son buenas para las frutas y los vegetales de hojas, pero son fundamentalmente licuadoras de hierba de trigo. Las hay manuales o dotadas de motor y su precio oscila entre los 100 y los 600 euros. Incluso las motorizadas se mueven a una suave velocidad de 100 r.p.m., lo que es ideal para proteger los nutrientes frágiles.

El sistema de licuado más nuevo es el de engranaje triturador doble. Esta tecnología patentada es tanto innovadora como única. Dos engranajes se doblan hacia adentro uno sobre otro, aplastando los vegetales y forzando a que salga el zumo a un colador muy fino. La velocidad de 90 r.p.m. de los engranajes es tan suave como si lo estuvieras exprimiendo a mano. Esto elimina el calor causado por la fricción de las máquinas más rápidas así como la oxidación que potencia el viento de las cuchillas de alta velocidad. Aplastar o moler es la mejor manera de romper la pared celular de las plantas y llegar a los nutrientes profundamente arraigados en ellas. Estas máquinas también son versátiles en el sentido de que licúan hierba de trigo además de las verduras normales. De esta forma, si alguna vez quieres explorar las maravillas de la hierba de trigo, no tendrás que buscar sitio para dos aparatos. Cuestan unos 500 euros.

Qué buscar cuando vayamos a comprar ～～～

Primero empieza buscando una licuadora especializada, es decir, una máquina diseñada y anunciada sólo como licuadora. Si casualmente realiza alguna otra tarea, tampoco pasa nada. Las licuadoras especializadas son más fuertes, están mejor diseñadas y, desde luego, cuestan más que las máquinas multiusos.

En cualquier caso, cuando vayas a comprar una licuadora ten en cuenta los siguientes criterios:

1. La capacidad que tenga de extraer nutrientes
2. La eficacia y limpieza de su funcionamiento
3. La facilidad para limpiarla
4. El tamaño y el espacio
5. El precio
6. El período de garantía
7. La potencia del motor
8. El método de eliminación de la pulpa

Cuando vayas a usar una licuadora, la facilidad de utilización y de limpiado son probablemente los dos factores principales con los que te las tendrás que ver a diario. Piensa que si te llega a desmoralizar la parafernalia de tener que desmontar y limpiar la licuadora, probablemente dejes de usarla. Este es un factor incluso más importante que su capacidad para la extracción de nutrientes. Si no te gusta utilizar tu licuadora, probablemente no sacarás muchos nutrientes de ella, ni siquiera de la más cara. Por otro lado, si la usas y la disfrutas cada día, obtendrás mucha nutrición. El uso regular es el secreto para desatar el poder de la terapia de zumos.

Todas las licuadoras han de ser montadas y desmontadas para su uso. Todas tienen un cuchilla o un engranaje, una tapa, una pantalla y un recipiente para recoger el zumo que hay que sacar y limpiar. Puedes comparar las diferencias en el manejo de las partes de las diferentes licuadoras hasta el infinito. Pero todas tienen de tres a cinco partes que tendrás que limpiar y volver a montar. Al final, la velocidad y eficiencia del limpiado y remontaje es algo a lo que te acostumbras.

Las máquinas con expulsor de pulpa sacan la pulpa continuamente mientras la máquina está haciendo zumo. Esto ahorra mucho tiempo si quieres hacer más de 2 litros de una vez. No tienes que parar de licuar para sacar la pulpa tú.

Por otro lado, las licuadoras que no sacan la pulpa la guardan dentro de los tambores de centrifugado, que hay que vaciar después de licuar 2 litros. Por tanto, es un aspecto que hay que considerar si vas a licuar para toda la familia o si vas a hacerte regularmente 4 litros de zumo para tu ayuno. A favor de estas licuadoras de tambor podemos decir que muchas vienen con la opción de ponerles filtros de papel que hacen el limpiado más fácil, más rápido y más higiénico.

Algo que hay que considerar junto con el limpiado es la facilidad de uso. Las licuadoras trituradoras y las de engranaje mascador requieren más esfuerzo para introducirles las zanahorias que las máquinas centrífugas, que literalmente se las tragan. Piensa quién va a hacer los zumos en casa y elige la licuadora que mejor le vaya a esa persona. Las máquinas centrífugas, con sus afiladas cuchillas, cogen las verduras más fácilmente y más rápido. Aun así, los dos tipos de máquinas requieren un trabajo laborioso cuando se trata de licuar verduras. Los vegetales con hojas hay que alternarlos con frutas acuosas como los tomates, los pepinos o vegetales duros como las zanahorias y la remolacha. Primero se meten las espinacas, luego el tomate, de nuevo espinacas, pepino, espinacas, etcétera.

Finalmente, a la hora de decidir qué licuadora comprar, debemos fijarnos en los aspectos prácticos del tamaño, espacio y precio. Puede que fijándote en eso te decidas finalmente. Tu presupuesto es cosa tuya, pero aunque tengas ganas de comprarte un aparato de los más caros, tal vez deberías empezar con uno pequeño e ir subiendo poco a poco. Por otra parte, puede que no quieras una máquina que sea demasiado pesada o demasiado grande. Recuerda, a la hora de elegir cuál comprar, todo depende de cómo se vaya a usar. Elige una máquina que vayas a usar y disfrutar a diario.

¿No puedes comprarte una licuadora? ~~~~~

Si no tienes una licuadora y ahora no puedes comprarte una, puedes hacer ayuno primero con bebidas que no sean zumos, como las infusiones, caldos, zumos de polvos reconstituidos, sidra fresca de manzana y zumos cítricos caseros. Si no tienes un buen exprimidor, invierte en uno. Incluso los eléctricos puedes adquirirlos por un precio que oscile entre 10 y 20 euros y te darán un buen servicio.

Luego, claro, también están los bares de zumos. Muchas tiendas de salud y dietética y bares de zumos venden zumos frescos recién hechos de verduras y de hierba de trigo. Con el suplemento de tu exprimidor casero y de otras bebidas todavía puedes ayunar a base de una gran variedad de bebidas esenciales. Y si realmente no te lo puedes permitir, hay otra cosa más que puedes hacer: compra un rallador de verduras fino de acero inoxidable y ralla las zanahorias a mano. Envuelve la zanahoria rallada en un paño fino y apriétalo. Retuerce el paño hasta que salga zumo de él y recógelo en un bol. ¿Engorroso? Tal vez, pero desde luego delicioso, y todo sin electricidad.

Algunas advertencias

Sea cual sea el método que uses, acuérdate de colar el zumo. La mayoría de las licuadoras llevan filtros de papel o coladores de acero inoxidable. Úsalos. El zumo sin colar permite que partículas invisibles de pulpa se introduzcan en tu estómago. Aunque no son un problema cuando tomas comida sólida, estas pequeñas partículas se acumulan y estimulan el flujo de enzimas digestivas, provocándote hambre... ¡algo que no quieres que ocurra durante tu ayuno!

No uses tu batidora. Las batidoras hacen purés, no zumos. Cierto, podrías colar los purés, pero eso no te dará mucha nutrición, especialmente considerando que las batidoras de gran velocidad tienden a oxidar el zumo y, por tanto, quitarle toda su vitalidad. Evita también la tentación de los zumos embotellados. Son aguas hervidas, edulcoradas y aromatizadas que no tienen la vida y la nutrición que necesitas.

Las licuadoras más populares

Presentamos a continuación una lista de las licuadoras especializadas a la venta que gozan de mayor popularidad. Esta no es en absoluto una lista exhaustiva, pero estos modelos son los más vendidos del mercado y, en algunos casos, llevan décadas a la venta. Las puedes comprar a través de tu tienda de dietética más cercana, por catálogo de estilo de vida natural o por internet. Los precios indicados son los «precios de venta sugeridos» por los fabricantes para 2002.

Licuadoras Omega

Omega es un líder internacional en licuadoras. Fabrican licuadoras de alta calidad con el sistema centrífugo, de engranaje de tornillo y de vaciado de pulpa. Su modelo *1000* es un estándar de la industria. Es una licuadora centrífuga de acero inoxidable con capa-

Omega 1000,
una licuadora centrífuga.

cidad para dos litros con recipiente recolector, tambor y cuchilla. Tiene un potente motor G. E. de un tercio de caballo de vapor a 250 vatios, centrifuga a 3.600 r.p.m., pesa 5 kilos y tiene un fabuloso período de garantía de diez años. Esta máquina estadounidense también tiene un accesorio para cítricos y filtros de papel para recoger la pulpa fácilmente y de forma limpia. Tiene un precio de 250 euros.

Échale un vistazo también a su modelo hermano con expulsor de pulpa, el modelo *4000*, que tiene un increíble período de garantía de quince años. Tiene un precio de 300 euros.

El modelo *Omega 8001* (ilustración en la página 172) es un aparato que hace muchas tareas de cocina. Licúa cualquier producto, incluida la hierba de trigo. Sus bajas 80 revoluciones por minuto provocan menos espuma, nada de calor añadido, ninguna destrucción de vitaminas y ninguna oxidación del zumo. Es tan suave con la comida como un antigua picadora manual. Esto quiere decir que mastica y abre las fibras vegetales, extrayendo los nutrientes desde lo profundo de las paredes celulares. Al tener expulsor automático de pulpa, licúa de forma continua la hierba de trigo y las verduras.

Con ella puedes hacer mantequilla de almendra, de cacahuete, de anacardo, de pipas de girasol... y más. También puedes pasar los plátanos congelados que tengas de sobra para obtener un cremoso helado de plátano sin ingredientes lácteos. Échale moras, frambuesas y fresas y conviértelas en increíbles postres. El accesorio moldeador te permite hacer comida de bebé, pasta y fideos con formas diferentes. Alimenta a tu bebé con alimentos naturales, no con potitos.

Es una potente y pesada máquina (2 CV), pero es la licuadora más rápida que hay. Saca la pulpa muy, muy seca y lleva muchos accesorios para hacerte el licuado más fácil. Incluye un cepillo limpiador, un accesorio para empujar la comida, una tolva de tamaño generoso, un colador y diferentes boquillas y filtros además de un bol para recoger el zumo que encaja perfectamente. Todo ello te proporcionará un licuado fácil y limpio. Cinco años de garantía. Precio de 350 euros.

Miracle Exclusives

Miracle Exclusives es un importador de salud orientado hacia los electrodomésticos de cocina con una línea completa de licuadoras, entre las que tienen licuadoras de hierba de trigo manuales y eléctricas y modelos especiales para bares de

**La licuadora *Miracle Millenium Juicer*®
la venden con un accesorio batidor para hacer batidos.**

zumos. Su licuadora *Millenium*® modelo MJ2000 es una licuadora centrífuga, con vaciado de pulpa y con muchos accesorios por un precio muy asequible. Lleva un motor de 350 vatios, una cuchilla de acero inoxidable con un magnífico acabado, un tambor, una botella recolectora interna de diseño único y una tolva externa de tamaño extra grande que sólo se destapa para vaciarse. Se puede comprar además un accesorio batidor de forma que puedas hacer zumos y batidos con una sola máquina y obtener un flujo constante de vitaminas líquidas. Tres años de garantía. Precio de 175 euros.

L'Equip

Esta nueva compañía americana de nombre francés lanzó en 1999 su modelo *L'Equip 221* con expulsor de pulpa. Tiene un aspecto que impacta e impresionantes accesorios de tecnología punta, incluyendo un motor de 420 vatios servocontrolado que constantemente observa y regula la velo-

L'Equip 221 de acero inoxidable con expulsor de pulpa, control de velocidad de motor informatizado y doce años de garantía.

cidad de las cuchillas según el tipo de frutas y verduras que se estén licuando. El expulsor de pulpa lleva una bolsa de recogida desechable, además del tradicional contenedor de plástico, lo último en facilidades de limpiado. Esta licuadora centrífuga tiene un bol de acero inoxidable, una cuchilla y un tambor, y una garantía increíble de doce años. El precio es de 250 euros. En *2001* lanzaron una versión mini de este modelo que tiene casi las mismas características pero que vale la mitad.

Licuadora Champion

Podría decirse que esta es la licuadora más antigua del mercado estadounidense. Es una trituradora con vaciado de pulpa, lo que quiere decir que, más que cortar las verduras, las muele y aplasta. Las cuchillas de dientes y el contenedor interior de licuado son de acero inoxidable. Esta versátil máquina también muele nueces y semillas y las convierte en mantequilla, y además prepara un delicioso sorbete de fruta. También se vende un accesorio para moler cereales y hacer harina. La *Champion* es una máquina de aguante con un motor de un tercio de caballo de vapor que funciona a la moderada velocidad de 1.725 r.p.m. Fabricada en EE.UU., tiene cinco años de garantía y su precio es de 300 euros.

Green Power

Esta compañía introdujo el innovador sistema de engranaje triturador doble en el mercado norteamericano en 1994. No sólo era innovador y único; también era vanguardista. Dentro del doble engranaje de acero inoxidable, hay imanes y materiales cerámicos que producen iones positivos cuando giran los engranajes. Según los diseñadores, este efecto tiene como resultado una menor oxidación y mayor longevidad del zumo fresco. La compañía aporta los resultados del estudio de un laboratorio independiente que analizó el zumo de zanahoria y de manzana durante 72 horas. En teoría, el zumo

La licuadora *Green Power Juicer*, con su innovador diseño de engranaje doble, fue la primera máquina asequible capaz de licuar hierba de trigo junto con las verduras normales.

dura más porque hay más enzimas y nutrientes que se mantienen intactos, mejorando la estabilidad.

Se trata de una máquina versátil que licuará zanahorias y hierba de trigo al mismo tiempo. Tradicionalmente hacían falta dos máquinas diferentes para licuar ambas cosas. Licuar zanahorias junto con la hierba de trigo es maravilloso tanto por el sabor como por la comodidad y puede llegar a convertir a su causa a los más reticentes bebedores de hierba de trigo. Puedes utilizar este mismo aparato para deleitar a los no-bebedores de hierba de trigo con mantequillas de frutos secos, sorbetes de frutas, mochi (tartas de arroz japonesas) y tres formas diferentes de pasta.

El engranaje doble se mueve a una suave velocidad de 110 r.p.m., triturando los vegetales y forzando a que salga el zumo por un colador fino. Como también expulsa la pulpa, puedes licuar continuamente sin tener que parar para limpiarla. Cuando necesites limpiarla, hay cuatro partes que tendrás que limpiar y volver a montar: el engranaje doble, el filtro y las cajas delantera y trasera. Esto no es más o menos que montar y limpiar una licuadora de verduras corriente. También viene con una robusta asa incorporada para moverla y guardarla cómodamente. No es sorprendente que ganara en 1993 la medalla de plata en Alemania en la Exposición Internacional de Inventos. La *Green Star Juicer* tiene dos años de garantía. Su precio es de 550 euros.

Otros títulos sobre zumos

ALFONSO, Eduardo: *El ayuno. Curas de hambre y de sed (en Curso de Medicina Natural en cuarenta lecciones)*, Ed. Kier, Buenos Aires, 11ª edición, 1995.

—— *Medicina natural agradable. Teoría, diagnóstico y tratamiento.* Dr. Atom Inoue, Editorial Yug, México.

BLASCO, Mercedes: *Ayuno con zumos*, Océano Ambar, Barcelona.

BEYER. K. A.: *La cura de savia y zumo de limón*, Ediciones Obelisco, Barcelona.

CAPO, Nicolás: *Mi método del limón*, Ediciones Obelisco, Barcelona, 2005.

—— *La cura de naranjas*, Ediciones Obelisco, Barcelona, 2005

—— *La cura de uvas*, Ediciones Obelisco, Barcelona, 2005.

DAHLKE, Rüdiger: *El ayuno consciente*, Ediciones Obelisco, Barcelona.

GERHARD, Dr. Hermann y Dr. Jürgen Weihofen: *El ayuno con zumos*, Editorial EDAF, Madrid.

EHRHARDT, Jean-Paul: *Ayuno racional*, Editorial Kier, Buenos Aires.

JENSEN, Dr. Bernard: *Limpieza de los tejidos a través del intestino*, Editorial Yug, México.

LÜTZNER, Hellmut: *Rejuvenecer por el ayuno. Guía médica para que Ud. mismo pueda hacer un ayuno*, Integral Ediciones, Barcelona, 1987.

MÉRIEN, Désiré: *Ayuno y salud. El método suave de las etapas*, Ed. Puertas abiertas a la Nueva Era, Palma de Mallorca, 1979.

MURRAY, Michael & Joseph Pizzorno: *Desintoxicación mediante el ayuno (en Enciclopedia de Medicina Natural)*, Ediciones Tutor, Madrid, 1997.

SER, Eric: *Ayuno controlado*, Editorial Ibis.

SHA, José Antonio y Adelita Salcedo: *Aprende a desintoxicarte*, Ediciones Obelisco, Barcelona.

SINTES Pros, Jordi: *El poder curativo del ayuno*, Editorial Sintes.

SUVORIN, Alexi: *La curación por el ayuno*, Ediciones Obelisco, Barcelona.

VOGEL, Alfred: *Las curas de ayuno, un modo de luchar contra las dolencias de la civilización (en El pequeño Doctor. Consejos útiles para mejorar su salud)*, Ed. Ars Medica, Barcelona, 2.ª ed., 1997.

WILLIAMS, Sarah: *Zumos que curan*, Ediciones Obelisco, Barcelona.

—— *Sácale jugo a tu licuadora*, Ediciones Obelisco, Barcelona.

Índice analítico

caldo, 16, 64, 73, 85, 86, 88, 89, 100, 145, 151, 167, 177

calorías, 25, 35, 43, 46, 61, 62, 90, 133, 134

cama elástica, 120, 121, 169

cantidad, 147-148

catabolismo, 42 ,93

cayena, 63, 88, 89, 113, 120, 145, 167

centrífugo, 173, 179

cepillado de aire, 168

cereales, 27, 88, 145, 151, 152, 153, 183

ciclismo, 120

ciclos metabólicos, 133

cigarrillos, 14

ciruelas pasas, 52, 53, 54, 118, 146

ciruelas, 49, 52

cítricos, 28, 177, 179

clorela, 91, 144, 147, 168

clorofila, 66-69, 70, 73, 75, 91, 168

clorox, 79, 80

colon, 12, 24, 69, 82, 95, 97, 106, 117-118, 121, 123-130, 168, 169

color de la comida, 168

combinado de zanahoria, 58

comer en exceso, 50, 81, 163

comida amarilla, 76

comida azul, 76

comida naranja, 76

comida roja, 76

comida sólida, 27, 28, 90, 146, 160, 178

comida verde, 76

condición física, 31

conservantes de la comida, 14, 38, 78

corriente sanguínea, 62, 103, 107, 114

crisis de purificación, 107, 120, 143

  cuánto tiempo, 31

cura, 12, 13, 20, 21, 23, 24, 34, 37, 39, 47, 67, 69, 75, 99, 107, 155, 156

-D-

descanso, 33, 34, 41-44, 93, 166

desinterés, 138

desintoxicación, 39, 107, 108, 109-134, 165, 168

diabetes, 82, 134

diario, 137, 142

diarrea, 21, 38, 75, 88, 106, 107, 166, 169

dientes, 118

dieta preayuno, 27-28

digestión, 13, 24, 25, 43, 46, 48, 76, 87, 88, 133, 134, 141, 147, 160, 168

disciplina, 22, 29, 133, 139, 157, 160
diuréticos, 114
dolor de cabeza, 14, 38, 76, 113, 117, 120, 124, 169
dolor de muelas, 58
dormir, 137
drogas, 38, 68, 99, 132
dulces, 14, 22, 34, 163
dulse, 87, 89, 151, 152

-E-

eczema, 106, 169
ejercicio, 9, 25, 83, 110, 111, 112, 116, 118, 120-121, 130, 131, 156, 163, 168, 169
ejercicios aeróbicos, 112, 120
eliminación, 13, 14, 34, 36-38, 43, 45, 82, 97, 105, 107, 109-118, 124, 153, 163, 169
endodoncia, 23
enemas, 73, 82, 99, 118, 123-131, 168
enfermedad periodontal, 23
enfermedades, 12, 14, 21, 23, 24, 37, 70, 94, 134, 156
ensaladas, 27, 28, 62, 90, 144, 151
entorno del ayuno: montañas, costa, 41, 42

enzimas, 47, 54, 69, 73, 75, 78, 88, 103, 148, 149, 160, 174, 178, 184
espinacas, 46, 47, 56, 57, 62, 63, 65, 74, 79, 115, 116, 118, 152, 167, 177
espiritualidad, 22, 157, 161
espirulina, 91, 93, 144, 147, 168
estilo de vida, 9, 10, 12, 46, 93, 161, 179
estimular la digestión, 88
estómago, 32, 36, 38, 43, 62, 74, 86, 88, 95, 100, 127, 140, 145, 146, 147, 148, 157, 178
estreñimiento, 21, 76, 166
estrés, 13, 14, 23, 26, 39, 41, 42, 43, 65, 83, 120, 121, 140, 166, 170
evitar ver la televisión, 42, 166

-F-

fabricantes de licuadoras, 172, 179
fatiga, 106, 107, 114, 124, 169
fermentación, 56, 88, 94
fibra marina, 112
fibra natural, 96, 112
fiebre, 107
footing, 36, 120, 121
forúnculos, 21, 106

Índice

Mi método del limón como medicina diaria

Sin jerga científica y con multitud de indicaciones prácticas *Mi método del limón* expone cómo aplicar el método del limón, uno de los métodos naturales de mayor éxito y que ha logrado revolucionar la medicina oficial e incluso ha curado a muchos pacientes desahuciados por las "terapias escolásticas".

Zumos que curan

Sarah Williams nos invita a experimentar por nosotros mismos los maravillosos beneficios de los zumos que curan. Aprenda a hacer estos maravillosos cócteles naturales en su propio hogar y disfrute de ellos curándose.

La curación por el ayuno

Alexi Suvorin nos relata en este libro sus extraordinarias experiencias con el ayuno y nos enseña a ayunar correcta y racionalmente, sin peligros.
Imprescindible para aquellos que se inician en el ayuno.

El ayuno consciente

El ayuno es algo más que una purificación del cuerpo: puede convertirse en una verdadera fuente de juventud para el espíritu y para el alma. Por el coautor de *La enfermedad como camino*.

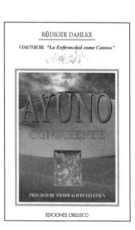

Manual completo de Reiki

Auténtica recopilación, indispensable para cualquier practicante de Reiki, así como para los terapeutas del espíritu y el cuerpo. Anima a todo el mundo a confiar en sí mismo y a revelar su verdadera naturaleza mediante el poderoso médico interior que sólo pide manifestarse.

El suero de leche

El suero de leche utilizado como medicina o para adelgazar no es un descubrimiento de nuestro tiempo. Médicos como Hipócrates o Galeno ya prescribieron a sus pacientes dietas a base de suero de leche.

En este libro encontrarás recetas diversas y explicaciones de cómo podemos utilizar el suero de leche para potenciar la salud y la belleza de forma natural.